GW00656572

CITY APARTMENTS

STADTWOHNUNGEN
APPARTEMENTS EN VILLE
KLEINE LEEFRUIMTEN

Edited by Macarena San Martín

Art director:
Mireia Casanovas Soley

Editorial coordination:
Simone Schleifer

Project coordination:
Macarena San Martín

Texts:
Marta Rodríguez

Layout:
Esperanza Escudero

Translations coordination: Equipo de Edición, Barcelona
Translations: Heike Reissig, Bonalingua Übersetzungen (German), Rachel Burden (English), Anne Dumail (French), Fennie Steenhuis, Persklaar (Dutch)

Editorial project:
2008 © LOFT Publications I Via Laietana, 32, 4.°, Of. 92 I 08003 Barcelona, Spain
Tel.: +34 932 688 088 Fax: +34 932 687 073 I loft@loftpublications.com I www.loftpublications.com

ISBN 978-84-96936-23-2

Printed in China

Cover photo: © Karin Hebmann / Artur
Back cover photo: © Luigi Filetici

CITY APARTMENTS

STADTWOHNUNGEN
APPARTEMENTS EN VILLE
KLEINE LEEFRUIMTEN

Edited by Macarena San Martín

„Wären Städte mit Musik erbaut, würden manche Gebäude wirken, als bestünden sie aus schweren feierlichen Klängen und andere so, als tanzten sie zu leichten beschwingten Melodien."

Nathaniel Hawthorne, amerikanischer Schriftsteller und Erzähler

"If cities were built to the rhythm of music, some buildings would appear to have been built with deep, solemn notes and others with light, fantastic airs."

Nathaniel Hawthorne, American novelist and story-teller

« Si les villes étaient construites au son de la musique, certains bâtiments sembleraient avoir été construits sur des notes graves et solennelles, et d'autres sur des airs légers et fantastiques. »

Nathaniel Hawthorne, romancier et auteur de contes américain

"Als steden gebouwd werden op de klank van muziek, zou het lijken alsof sommige gebouwen op zware, plechtige noten waren gebouwd en andere op lichtvoetige fantasiemelodietjes."

Nathaniel Hawthorne, Amerikaanse schrijver van romans en korte verhalen

12 APARTMENT IN CLASSIC MADRID
José Luis Maroto

18 CARLTON RAMSEY APARTMENT
Paul Brace Design

28 IN THE HEART OF SOHO
Procter & Rihl

36 OPEN TO THE SKY
Inés Rodríguez, Raúl Campderrich
/Air Projects

44 A DIFFERENT KIND OF DECORATION
Marisa García and Álex Baeza

52 TURO RESIDENCE
Estudio Pilar Líbano

62 BERKOWITZ APARTMENT
Rafael Berkowitz

70 ATTIC IN CHUECA
Estudio Farini Bresnick

78 MORRELL APARTMENT
Philip Mathieson

86 MEMORIES OF BUENOS AIRES
Miguel Bornstein

94 WITH VIEWS OF THE COLOSSEUM
Filippo Bombace

102 SMART APARTMENT
Smart Design Studio

108 AN URBAN STUDIO
Javier Hernández Mingo

118 BOHEMIAN AIR
Philippe Harden and Atelier des Neuf Portes

126 PURE MINIMALISM
Randy Brown Architects

134 BATHED IN LIGHT
Maximiá Torruella

142 DUPLEX IN MALASAÑA
Rocío Fueyo Casado

152 APARTMENT IN BRASILIA
Fernandes & Capanema

162 MINIM STUDIO
Estudio MINIM

168 C.E.D.V. HOUSE
Filippo Bombace

174 APARTMENT IN SÃO PAULO
Fernando Canguçu

184 BROSSA ATTIC,
Grup Cru

192 IN ALMIRANTE STREET
CGR Arquitectos.

200 APARTMENT IN AMSTERDAM
I 29 Office for Design

208 LIVING UP HIGH
Beriot Bernardini

216 A FLOATING STUDIO
Thomas de Cruz

222 IN THE HEART OF HONG KONG
Gary Chang/EDGE (HK) Ltd.

230 A ROOM WITH A VIEW
Nacho Marta

238 BAYSWATER APARTMENT
Andy MacDonald/Mac Interactive

248 TO LIVE IN WHITE
AEM

254 DIRECTORY

Um Wohn- und Schlafbereich, die beide vom Licht des Fensters profitieren, zu separieren, wurde ein Holzmodul konstruiert. Die offene Gestaltung wurde durch den Einbau fast unsichtbarer Stauräume in Küche und Schlafzimmer erreicht. Im oberen Teil der Trennwand zum Badezimmer ist eine Glasscheibe integriert, durch die das Licht aus dem Wohnbereich ins Bad eindringen kann.

A wooden module was constructed and serves the purpose of defining the two principal areas, both of which are bathed in natural light from the window. The open plan space has been achieved by the construction of almost invisible storage units in the kitchen and in the bedroom. The bathroom is separated by a glass window which allows in the light.

APARTMENT IN CLASSIC MADRID

José Luis Maroto

Madrid, Spain

Un module en bois a été construit pour délimiter deux grands espaces baignés par la lumière du jour que donne la fenêtre. Dans la cuisine et la chambre à coucher, des meubles de rangement presque invisibles donnent à l'ensemble un effet diaphane. La salle de bain est séparée par une vitre qui laisse passer la lumière.

Een houten constructie begrenst twee hoofdruimten die dankzij een raam over de hele breedte in daglicht baden. In de keuken en de slaapkamer is een lichtdoorlatende ruimte ontstaan door bijna onzichtbare bergmeubels te maken. De badkamer wordt afgescheiden door glazen meubels die licht doorlaten.

Mit Ausnahme des Geschirrspülers sind die Küchenmöbel aus MDF nur 50 cm tief; die Arbeitsplatte aus poliertem schwarzem Schiefer sorgt für einen eleganten Touch.

With the exception of the dishwasher, the MDF furnishings in the kitchen have been designed to be only 50 cm deep, with surfaces of polished black slate making an elegant finish.

Hormis le lave-vaisselle, le mobilier de la cuisine en MDF, a été conçu sur une profondeur de 50 cm seulement, avec un revêtement en ardoise noire polie qui lui donne une finition élégante.

Afgezien van de vaatwasmachine is het van MDF gemaakte meubilair in de keuken slechts 50 cm diep. De stijlvolle afwerking bovenop is van gepolijste zwarte leisteen.

Dieses kleine Appartement bietet einen spektakulären Ausblick. Ziel war, die Asymmetrie des Wohnzimmers ohne Strukturänderungen auszugleichen, was durch eine optisch klare Trennung der verschiedenen Bereiche erfolgte. Große Möbelstücke lassen Freiraum in der Mitte. Kontrastierende Materialien wie helle Eiche, schwarz lackiertes Holz und Spiegelglas lassen den Raum groß wirken.

Although this apartment is small it benefits from some spectacular views. The intention was to balance the asymmetry of the living room and clarify the different areas without making alterations to the structure. Large pieces of furniture leave free space in the centre. Contrasting materials like oak, or black lacquer and mirrors in the entrance area, give a feeling of space.

CARLTON RAMSEY APARTMENT

Paul Brace Design

Sydney, Australia

La petite taille de cet appartement est compensée par une vue spectaculaire. On a tenté d'équilibrer l'asymétrie du salon sans provoquer de grands changements et en dégageant certaines zones. Des meubles de grande taille laissent le centre de la pièce dégagé. Contraste de matériaux comme le chêne ou la laque noir et des miroirs à l'entrée pour donner une sensation d'espace.

Dit kleine appartement heeft een schitterend uitzicht. Zonder wijzigingen in de structuur aan te brengen werd geprobeerd de asymmetrische vorm van de woonkamer evenwichtig te maken door de verschillende zones goed te onderscheiden. Grote meubels laten in het midden de ruimte vrij. Contrasterende materialen als eiken of zwarte lak en spiegels bij de entree zorgen voor ruimtelijkheid.

Westfield

TOSCA

Westfield
Westfield

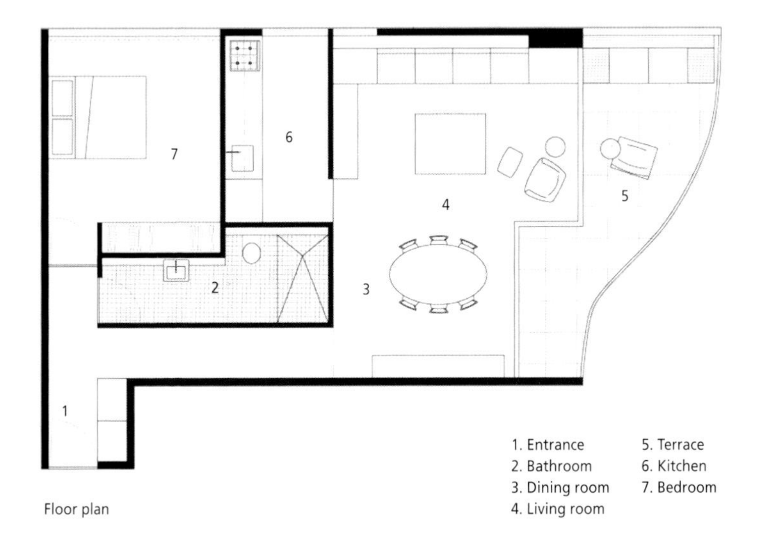

Floor plan

Die Eigentümer wünschten sich ein Refugium, das auch Gästen Platz bietet. Das Wohnzimmer besticht durch den extrovertierten Ausblick auf die imposante Skyline; das Schlafzimmer bildet den ruhigen, intimen Gegenpol.

Le salon aux vues panoramiques sur la ville, et l'atmosphère intime de la chambre répondent au souhait des propriétaires qui recherchaient un refuge tranquille où pouvoir aussi recevoir des invités.

The living room with views of the skyline of the city, and the intimate atmosphere of the bedroom meet the needs of the owners, who wanted a tranquil refuge into which they could also invite guests.

De woonkamer met uitzicht op de skyline van de stad en de intieme sfeer van de slaapkamer voldoet aan de wensen van de eigenaren. Ze wilden een plek waar ze zich rustig konden terugtrekken én gasten konden ontvangen.

In der ehemals kleineren Wohnung führte die Treppe früher von der Terrasse zum Schlafraum. Die Räume wurden grundlegend renoviert, um den Ausblick besser zu nutzen. In der neuen Einteilung liegen nun Küche und Wohnzimmer im Obergeschoss; Eingang, Bad, Schlaf- und Arbeitszimmer sind unten. Ein reizvoller Materialmix betont den Kontrast zwischen Boden- und Wandflächen.

This flat was originally a studio apartment, with the bedroom and the terrace joined by a staircase. The inside was expanded up and out to improve the views. The new distribution put the kitchen and the sitting room on the upper floor and the entrance, the bedroom, the bathroom and the study downstairs. Different textures accentuate the different surfaces.

IN THE HEART OF SOHO

Procter & Rihl

New York, U.S.A.

À l'origine, cet appartement était un studio ; un escalier montait de la chambre à la terrasse. L'intérieur a été agrandi vers le haut et l'extérieur pour gagner en vues. Avec la nouvelle distribution la cuisine et le salon sont en haut, la chambre, l'entrée, la salle de bain et le bureau, en bas. La différence de surfaces est marquée par des matériaux aux textures opposées.

Dit appartement was een studio waarin slaapkamer en terras via een trap met elkaar verbonden waren. Voor meer uitzicht werd het interieur naar boven en buiten toe verruimd. Nu liggen de keuken en woonkamer op de bovenste verdieping en de slaapkamer, entree, badkamer en studeerkamer beneden. Diverse texturen accentueren de verschillende ruimten.

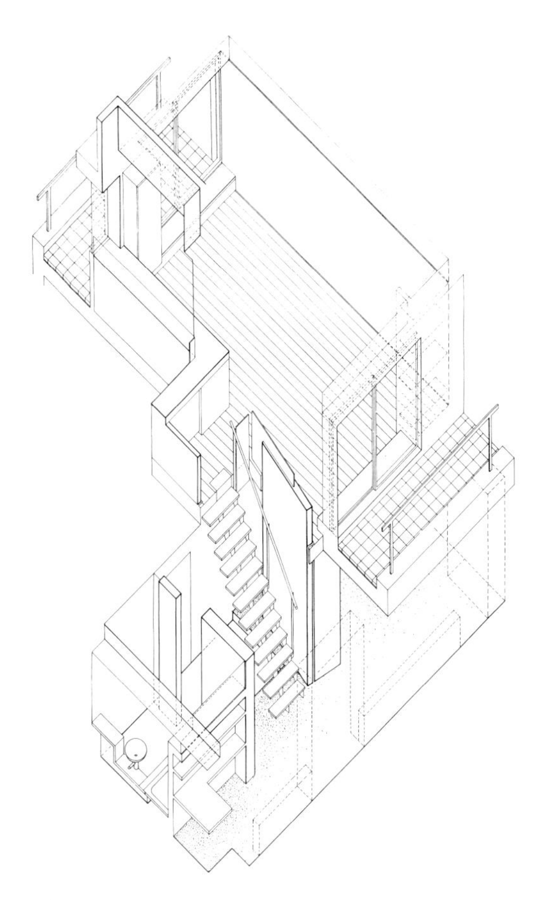

Axonometry

Markante Elemente der Inneneinrichtung sind die nach Maß gefertigten Tische. Dank der großen Fensterflächen wirkt die Wohnung sehr hell. Materialkontraste verleihen ihr das besondere Flair.

All the tables are made to measure as delicate elements of interior design.The absence of window frames allows the flow of natural light. The space is defined by the contrast of materials.

Toutes les tables sont faites sur mesure, comme des éléments délicats de la décoration. L'absence d'encadrement aux fenêtres laisse passer un flot de lumière naturelle. L'espace est défini par le contraste des matériaux.

Alle tafels zijn op maat gemaakt, als subtiele elementen van het interieur. Door de afwezigheid van raamkozijnen stroomt het daglicht overvloedig binnen. De ruimte wordt ingedeeld aan de hand van contrasterende materialen.

Diese kleine Wohnung mit Dachterrasse besticht durch ihre fragmentartige Gestaltung. Die mit einer großzügigen Arbeitsfläche ausgestattete Küche wurde vollständig in das Wohn- und Esszimmer integriert. Bad und Schlafzimmer befinden sich im hinteren Teil der Wohnung. Der Boden besteht aus grauem Laminat; Boden und Wände im Bad sind schwarz gefliest.

This small attic has a terrace but the interior space had been over divided. So a kitchen was created which was completely integrated into the living-dining room, with a work area included. The private and night time spaces are at the back of the apartment. The flooring is grey laminate, and black tiles have been chosen for the surfaces in the bathroom.

OPEN TO THE SKY

Inés Rodríguez, Raúl Campderrich/Air Projects

Barcelona, Spain

Bien qu'il dispose d'une terrasse, ce petit atico était trop compartimenté. On a donc opté pour une cuisine complètement intégrée dans le salon-salle à manger, plan de travail inclus. Les pièces privées et de couchage sont à l'arrière de l'appartement. Pour unifier les surfaces, on a posé un sol flottant stratifié de couleur grise, et une mosaïque noire dans les sanitaires.

Dit kleine penthouse met terras was vanbinnen erg hokkerig. Daarom werd gekozen voor een volledig geïntegreerde keuken in het woon- en eetdeel, inclusief een werkblad. De privé- en slaapvertrekken bevinden zich aan de achterzijde. De diverse oppervlakken vormen een eenheid, dankzij het grijze, zwevende laminaat op de vloer. In de badkamer is gekozen voor zwart mozaïek.

Floor plan

Der schlichte massive Tisch, auf dem sich das von der Terrasse hereinfallende Licht fängt, fungiert wahlweise als Küchen-, Ess- oder Arbeitstisch.

A simple, solid table, which receives light directly from the terrace, also serves as a work surface for the kitchen.

Une table, simple et solide, baignée par la lumière directe de la terrasse, sert aussi de plan de travail de cuisine.

Een eenvoudige, stevige tafel waar licht op valt vanaf het terras, dient tevens als keukenwerkblad.

Das Ziel bestand darin, die verfügbare Fläche optimal zur Geltung zu bringen. Unten: Küche mit geräumigen Holzschränken, Ess- und Wohnbereich, Bad, Gästezimmer, Schlafzimmer und Terrasse. Minimalistisches Design zeichnet Schlafzimmer, Bad und die weiß lackierte Stahltreppe aus. Das Obergeschoss besteht aus einem offen gestalteten Raum mit einer Decke aus lackierten Holzpanelen.

The objective was to make the most of the space. Downstairs: white wood kitchen with large cupboards, bathroom, guest bedroom, master bedroom and a terrace which allows in natural light. The bedroom and the bathroom are minimalist, as is the staircase which is made of steel and finished in white. The upper floor is an open plan room with a lacquered wooden panel ceiling.

A DIFFERENT KIND OF DECORATION

Marisa García and Álex Baeza

Barcelona, Spain

L'objectif était de tirer le meilleur parti de l'espace. En bas, la cuisine en bois blanc aux grands placards, la salle de bain, la chambre d'amis, la chambre principale et une terrasse qui laisse entrer la lumière. La chambre et la salle de bain sont minimalistes, comme l'escalier en acier peint en blanc. À l'étage, une grande pièce diaphane au plafond en lambris satinés.

De bedoeling was de ruimte optimaal te benutten. Beneden: een withouten keuken en grote kasten, de badkamer, logeerkamer, hoofdslaapkamer en een terras vanwaaraf daglicht in huis komt. De slaapkamer en badkamer zijn minimalistisch, net als de trap van witgeschilderd staal. Boven is een lichtdoorlatende kamer met een plafond van gelakte, houten panelen.

Passend zum Esszimmertisch aus Sissooholz wurden die Stühle von Barba Corsini designt.

The dining room table is made from sissoo wood and the chairs, which were chosen to match the table, are designed by Barba Corsini.

La table de la salle à manger est en bois de Dalbergia sissoo. Les chaises, assorties à la table, sont des créations de Barba Corsini.

De eettafel is van sissoohout. De stoelen, een ontwerp van Barba Corsini, zijn speciaal bij de tafel uitgezocht.

Bei der Renovierung dieser Familienwohnung in Barcelona stand eine praktische Einrichtung im Vordergrund. Der gemeinsam genutzte Bereich besteht aus einem großen Wohnzimmer und einer offen gestalten Küche mit einem großen Esstisch. Zu den funktionellen Möbeln zählen die Betten in den Kinderzimmern, die sich auch als Sofas nutzen lassen.

One of the priorities in this family apartment in Barcelona is that the spaces should be practical. The communal areas have been divided into a large living room and an open plan kitchen, with a table in the middle to serve as a dining room. The furniture is also functional and incorporates elements such as the beds from the secondary bedrooms, which serve as sofas.

TURO RESIDENCE

Estudio Pilar Líbano

Barcelona, Spain

Pour cet appartement d'une famille de Barcelone, il fallait que était que les espaces soient fonctionnels et pratiques. La zone commune a été divisée en un vaste salon et une cuisine ouverte, avec une table au centre qui sert de salle à manger. Le mobilier aussi est fonctionnel : par exemple les lits des chambres d'enfants qui se transforment en canapés.

Praktische ruimten, daar ging het onder meer om bij dit gezinsappartement in Barcelona. De gemeenschappelijke ruimten zijn verdeeld over een ruime woonkamer en een open keuken, met in het midden een tafel die een eethoek vormt. Het meubilair is eveneens praktisch. Sommige elementen, zoals de bedden in de slaapkamers, dienen ook als bank.

ALICIA
SUPER GIRL

CUBA
FSG 153

Die zwei Badezimmer – ein Familienbad und ein kleines Bad im Elternschlafzimmer – sind komplett weiß gefliest und wirken dadurch heller.

The two bathrooms in this apartment – the family bathroom and the en-suite in the master bedroom – have been tiled entirely in white, which increases the light in both the rooms.

Les deux salles de bain de l'appartement, une commune et celle de la chambre principale, ont été recouvertes intégralement de carreaux blancs qui donnent beaucoup de luminosité aux espaces.

De twee badkamers van het appartement – de gemeenschappelijke en de badkamer bij de hoofdslaapkamer – zijn geheel wit betegeld, waardoor de ruimten licht worden.

Der Essbereich unter der von innen beleuchteten Doppeldecke bildet die zentrale Achse. Die Küche wartet mit Edelstahlmöbeln, schwarzen Holzschränken und Glaselementen mit Ätzgravur auf. Das Schlafzimmer wurde wie eine elegante „Höhle" gestaltet: Das Bett thront auf einer Plattform aus Edelholz mit integriertem Lichtsystem zur Beleuchtung der Zimmerdecke.

The central axis of the space is the dining room with double ceiling lit from inside. Adjacent to the living room, the kitchen is made up of elements and furniture in stainless steel, and black wood cupboards with acid engraved glass doors. In the master bedroom a 'cave' effect was created with a bed on a platform, a wooden canopy and lighting which illuminates the ceiling.

BERKOWITZ APARTMENT

Rafael Berkowitz

New York, U.S.A.

L'axe central de ce lieu est la salle à manger au double plafond éclairé de l'intérieur. À côté du salon, la cuisine, meublée d'éléments en acier inoxydable et de placards en bois noir avec des portes en verre gravé à l'acide. Dans la chambre, une ambiance « grotte » a été créée avec un lit à estrade et ciel de lit en bois au système d'éclairage orienté vers le plafond.

De centrale as van de ruimte is de eetkamer met dubbel plafond dat van binnenuit verlicht wordt. De aan de woonkamer grenzende keuken bestaat uit elementen en meubilair van roestvrij staal en zwarte, houten kasten met deuren van matglas. In de hoofdslaapkamer is een groteffect gecreëerd: het bed staat op een platform en heeft een houten baldakijn met lampen die het plafond verlichten.

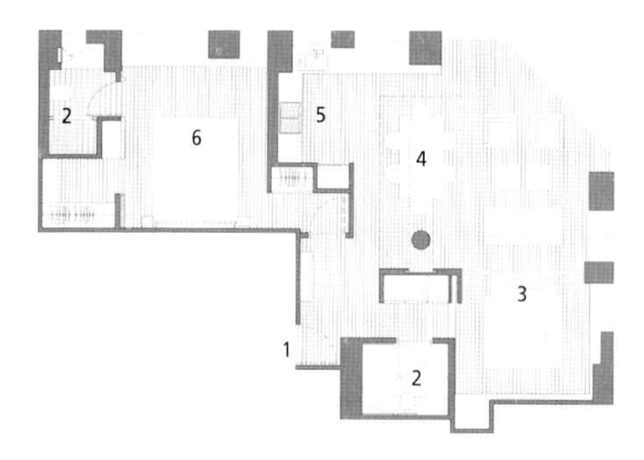

1. Entrance
2. Bathroom
3. Living room
4. Dining room
5. Kitchen
6. Bedroom

Floor plan

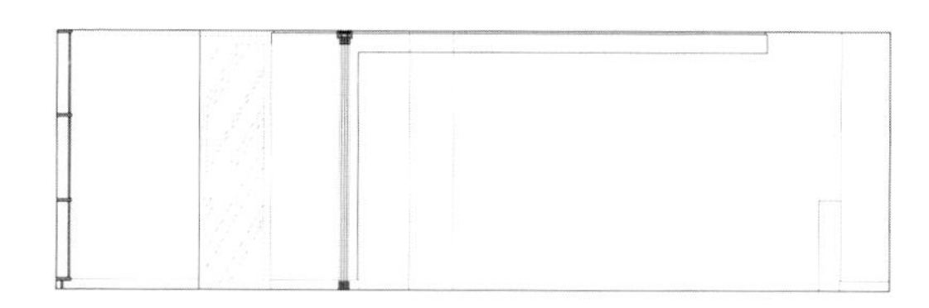

Den/Living room section

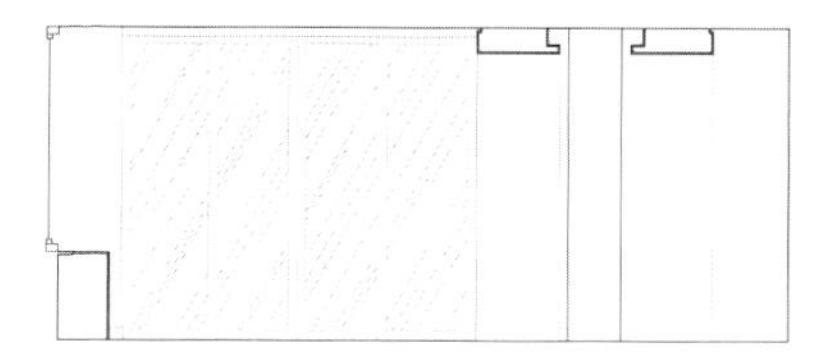

Living/Dining room section

In der Wand zwischen Vestibül, Wohnzimmer und Arbeitszimmer verbirgt sich ein Kleiderschrank.

A 'u' shaped wall between the little vestibule, the living-dining room and the study accommodates a wardrobe.

Un mur en forme de U entre le petit vestibule, le salon-salle à manger et le studio abrite une penderie.

In een U-vormige wandstructuur tussen de kleine hal, de woonkamer en de studio bevindt zich een kledingkast.

Bei der Renovierung dieser Dachwohnung wurden alte Wände entfernt, um mithilfe von Raumteilern, einem Dachfenster und einer Wand mit maßgefertigten Schränken und Regalen für mehr Platz und Licht zu sorgen. Wohn- und Schlafbereich werden durch einen Raumteiler getrennt. Das Dachfenster im Wohnbereich hebt sich reizvoll von den übrigen Fenstern ab.

The renovation of this attic centred on the elimination of walls and the creation of specific areas, and this has been achieved by a partition wall, a skylight, a wall of made to measure cupboards / shelves, and the bathroom. An island separates the living area from the bedroom. The skylight in the living room stands out among the other windows.

ATTIC IN CHUECA

Estudio Farini Bresnick

Madrid, Spain

Pour la rénovation de cette mansarde on a commencé par enlever les murs et redéfinir les espaces. La surface a été modulée par une cloison, une lucarne, un mur recouvert de placards/étagères sur mesure et la salle de bain. Un îlot sépare la salle de séjour de la chambre à coucher. Dans le salon, la lucarne crée un contraste avec les autres fenêtres.

De vernieuwing van deze vliering spitste zich toe op de verwijdering van wanden en het creëren van aparte zones. De ruimte is vormgegeven met een tussenschot, een dakraam, een wand met op maat gemaakte kasten en rekken, en de badkamer. Woongedeelte en slaapkamer worden gescheiden door een eiland. Het meeste licht valt via het dakraam de woonkamer binnen.

BCN

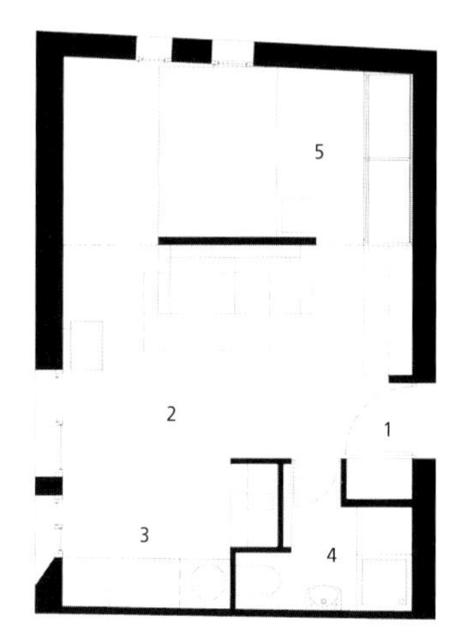

1. Entrance
2. Living room/ Dining room
3. Kitchen
4. Bathroom
5. Bedroom

Floor plan

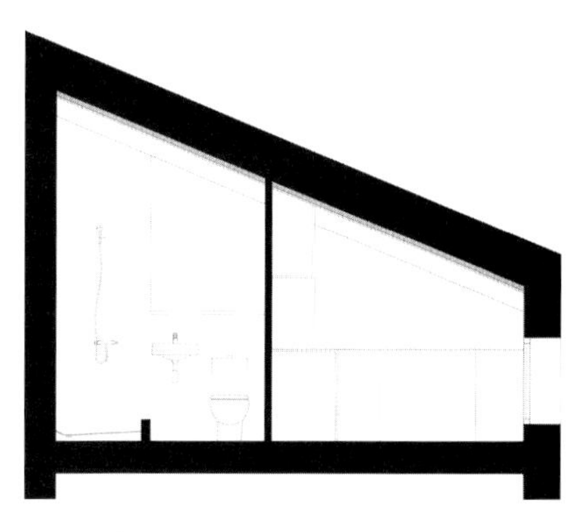

Cross section

Diese Dachwohnung wurde unter Beachtung der unterschiedlichen Deckenhöhen gestaltet: Der Schlafbereich befindet sich dort, wo die Zimmerdecke am niedrigsten ist und die Küche dort, wo sie am höchsten ist.

Cette mansarde a été conçue en respectant les différentes hauteurs de plafond ; la chambre à coucher est là où il est le plus bas, et la cuisine à l'autre bout, là où il est le plus haut.

This attic has been designed with the different heights of the ceiling in mind; the bedroom has been placed where it is at its lowest, with the kitchen in the opposite corner where it is at its highest.

Bij het ontwerp van deze zolder is rekening gehouden met de verschillende hoogten van het plafond. In de slaapkamer is het plafond het laagst. In de keuken, in de hoek ertegenover, is het plafond hoger.

Der Auftraggeber benötigte eine Wohnung zum Gästeempfang, inklusive Gästeschlafzimmer. Vom Foyer aus erstreckt sich ein Schrankmodul aus weißem MDF als Trennwand zwischen Wohnbereich und Schlafzimmern; es beherbergt auch die in den Wohnbereich integrierte Küche. Dahinter befinden sich zwei Schlafzimmer und ein Bad.

The owner needed somewhere to invite and accommodate guests and a new bedroom was essential. The living area is separated from the bedrooms by a large storage module in white MDF, which extends from the entrance hall and accommodates a space for the kitchen, integrated into the living room. Behind this are two bedrooms and a bathroom.

MORRELL APARTMENT

Philip Mathieson

Sydney, Australia

Le propriétaire avait besoin d'un lieu où recevoir et loger des hôtes. Une chambre supplémentaire était devenue indispensable. Le séjour est séparé des chambres par un grand module en MDF blanc qui part du vestibule et loge un espace pour la cuisine dans le salon. À l'arrière se trouvent les pièces de nuit, deux chambres à coucher et une salle de bain.

De eigenaar van dit appartement had een plek nodig waar hij gasten kon ontvangen en onderbrengen. Daarvoor was een nieuwe slaapkamer nodig. De woonkamer wordt van de slaapkamers gescheiden door een groot bergelement van wit MDF, dat vanuit de hal doorloopt en waarin een ruimte voor de open keuken is ondergebracht. Achter dit element zijn de twee slaapkamers en een badkamer.

Floor plan

olierte und glänzende Flächen prägen das Vohnambiente; Spiegel reflektieren das Licht ınd lassen die Räume größer erscheinen.

Polished and shiny surfaces are predominant in all the rooms, and the mirrors play a fundamental role in reflecting the light and creating a feeling of much greater space.

.es surfaces polies et brillantes prédominent dans outes les pièces ; et les miroirs qui réfléchissent a lumière et augmentent l'impression d'espace ouent un rôle fondamental.

In alle vertrekken overheersen gepolijste, glanzende oppervlakken. De spiegels spelen een hoofdrol in het weerkaatsen van licht en het vergroten van het ruimtelijke gevoel.

INDBERGH

Die Wohnungseigentümer wollten Souvenirs ihrer Reisen in die Einrichtung integrieren, um so eine ganz individuelle und zugleich gemütliche Atmosphäre zu kreieren. Das Ergebnis ist ein offen gestaltetes, lichtdurchflutetes Wohnambiente mit zwei Ausgängen und einer geräumigen Galerie im Innenbereich. Die in die Wände eingelassenen Regale tragen zu einer optimalen Raumnutzung bei.

The intention of the owner of this home was to accumulate memories of past travels and create an eclectic, cozy environment. The result was the construction of a square, open plan floor with access to outside on two sides, and a large interior gallery with permanent natural light coming in. The fitted shelves on the walls also contribute to making the most of the space.

MEMORIES OF BUENOS AIRES

Miguel Bornstein

Buenos Aires, Argentina

Le propriétaire des lieux souhaitait accumuler des souvenirs de voyages et obtenir une ambiance éclectique et accueillante. C'est pourquoi un étage carré et diaphane a été construit, avec accès à l'extérieur des deux côtés et une grande galerie intérieure inondée de lumière naturelle toute la journée. Les étagères encastrées dans les murs contribuent à l'optimisation de l'espace.

De eigenaar van deze woning wilde zijn verzameling reissouvenirs een plek geven en een gezellige, eclectische sfeer scheppen. Daarom werd een vierhoekige, lichtdoorlatende verdieping gebouwd met aan beide zijden een uitgang naar buiten en binnenin een grote galerij met veel daglicht. Door de inbouwkasten in de muren wordt de ruimte optimaal gebruikt.

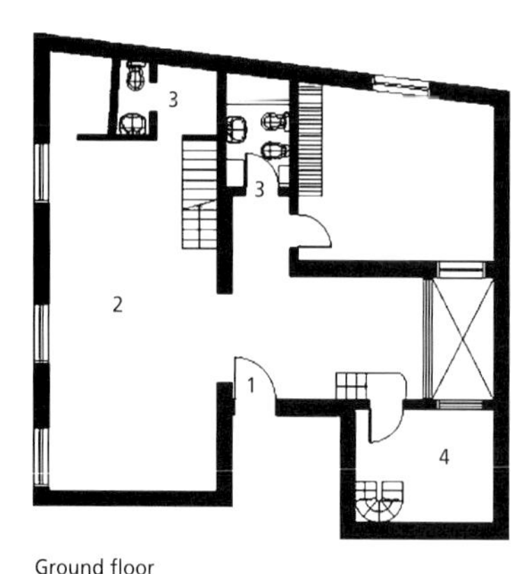

Ground floor

Die Helligkeit und Beschaffenheit dieses Appartements ermöglichen es, trotz begrenzter Wohnfläche eine klassische Aufteilung vorzunehmen und zahlreiche Erinnerungsstücke wirkungsvoll zu präsentieren.

The brightness and the configuration of this apartment make it possible to arrange a reduced space with a classic structure and display numerous objects while maintaining the feeling of space.

La luminosité et la distribution de cet appartement permettent d'organiser un espace réduit avec une structure classique et d'exposer de nombreux objets tout en conservant la sensation d'espace.

Dankzij de vormgeving en lichtheid van dit appartement kreeg een beperkte ruimte een klassieke structuur die veel voorwerpen herbergt, terwijl het gevoel van ruimtelijkheid behouden is gebleven.

REGENCY DESIGN
REGENCY FURNITURE
ADAM DRAWINGS

American Modern
RUHLMANN
arte madi
DE LA VEGA
URIBURU

OBSESSION

Der Standort und das urbane Umfeld dieses relativ kleinen Appartements wurden bei seiner Renovierung mit berücksichtigt. Wohnbereich und Esszimmer sind durch einen Vorratsbereich mit der Küche verbunden. Ein Flur führt zum Schlafzimmer und zu den zwei Bädern. Im Schlafzimmer wurde über das Bett eine kleine Plattform mit Schreibtisch eingebaut.

Both the location of this small apartment and the urban elements which surround it have been taken into account in its renovation. The living room and the dining room are connected to the kitchen through a larder area. A corridor leads to the bedroom and the two bathrooms. In the bedroom the bed is placed under a small platform which is fitted out as a study.

WITH VIEWS OF THE COLOSSEUM

Filippo Bombace

Rome, Italy

Ce petit appartement a été refait en tenant compte de son emplacement et des éléments urbains qui l'entourent. La salle de séjour et la salle à manger communiquent avec la cuisine par un garde-manger. Un couloir mène à la chambre et aux deux salles de bain. Dans la chambre, le lit est encastré en dessous d'une petite mezzanine qui sert de bureau.

Bij de verbouwing van dit kleine appartement werd rekening gehouden met de ligging en het omringende stadsgezicht. De woonkamer en de eetkamer staan via een voorraadkast in verbinding met de keuken. Een gang leidt naar de slaapkamer en de twee badkamers. In de slaapkamer staat het bed deels onder een kleine tussenverdieping die fungeert als studeerruimte.

Roma
SONY

n der farbenfrohen Gestaltung dieser Wohnung inden sich das Grün der umgebenden Gärten ınd das Grau des gegenüber liegenden ömischen Kolosseums wieder.

This vibrantly coloured apartment reflects the green of the adjacent gardens and the grey of the historic Colosseum opposite.

:et appartement aux couleurs vives reflète le vert les jardins qui l'entourent et le gris du Colisée ıste en face.

De levendige kleuren van dit appartement weerspiegelen het groen van de aangrenzende tuinen en het grijs van het tegenovergelegen, historische Colosseum.

Die Renovierung dieser Wohnung in einem Gebäude aus den 1920ern ergab ein Appartement, das aus einem einzigen großen Raum besteht. Eine von Tim Richardson designte Schiebetür trennt Wohn- und Schlafbereich. In der rot lackierten Wandeinheit verbergen sich Elektrogeräte und Schränke. Natürliches Licht und schlichtes Design prägen die offene Gestaltung.

The restoration of this studio in a 1920s building has created a home consisting of just one large room. A sliding door, which was designed by Tim Richardson, divides the living rooms and the bedroom. The red lacquered unit hides the electrical appliances and the cupboards. Natural light and simple lines are the key to the open plan design.

SMART APARTMENT

Smart Design Studio

Sydney, Australia

Ce studio, situé dans un immeuble années 20, a été transformé en un appartement d'une seule pièce. Une porte coulissante, dessinée par Tim Richardson, relie les pièces à vivre à la chambre. Un meuble laqué rouge cache les électrodomestiques et les placards. Le style diaphane de ce lieu est produit par la lumière du jour et la simplicité des lignes.

Na renovatie is deze studio – in een pand uit de jaren twintig – een woning van één vertrek geworden. De woonkamer en slaapkamer zijn met elkaar verbonden door een door Tim Richardson ontworpen schuifdeur. In het roodgelakte meubel is plaats voor huishoudelijke apparatuur en andere spullen. Daglicht en enkele eenvoudige ontwerplijnen vormen de sleutel voor een lichtdoorlatende stijl.

)ie breite rot lackierte Wandeinheit birgt nicht ıur Elektrogeräte, sondern sorgt auch für łekorative Einheitlichkeit.

The large, red lacquered unit hides the electrical appliances and maintains the decorative unity.

.e grand placard laqué rouge cache les ·lectrodomestiques et donne une unité à la łécoration.

De grote roodgelakte kast herbergt huishoudelijke apparatuur en zorgt voor een decoratieve eenheid.

Dieses alte Loft wurde in ein Wohn- und Arbeitsambiente verwandelt. Alt und Neu harmonieren perfekt: Die frühere Magazinleiter führt nun zum Schlafbereich, die Betonböden wurden frisch poliert, die Holzbalken stimmig integriert. Die Wanne wurde in eine weiße Marmorplattform eingelassen. Der Schlafbereich schwebt auf einer Galerie; darunter liegen Bad, Küche und Kleiderschrank.

This old warehouse was renovated to make a home and a workplace. Past and present coexist through elements such as the staircase which leads to the bedroom, the polished concrete floor or the beams. A bathtub was built in a white marble platform, in front of the dining room. The bedroom is on a gallery, below which are the bathroom, the kitchen and a wardrobe.

AN URBAN STUDIO

avier Hernández Mingo

Madrid, Spain

:et ancien entrepôt a été rénové en lieu
e vie et de travail. Des éléments du
résent et du passé cohabitent comme
escalier qui mène à la chambre, le béton
oli du sol ou les poutres. Une baignoire a
té construite devant la salle à manger,
ans une plate-forme de marbre blanc. La
hambre est une mezzanine sous laquelle
e trouvent les sanitaires, la cuisine et la
enderie.

Van dit voormalige magazijn werden een woning en werkplaats gemaakt. Heden en verleden bestaan naast elkaar, in elementen als de trap naar de slaapkamer, het gepolijste beton van de vloer, en de balken. Op een wit marmeren verhoging kwam een badkamer, tegenover de eetkamer. De slaapkamer is op een lage tussenverdieping, met daaronder het sanitair, de keuken en een kledingkast.

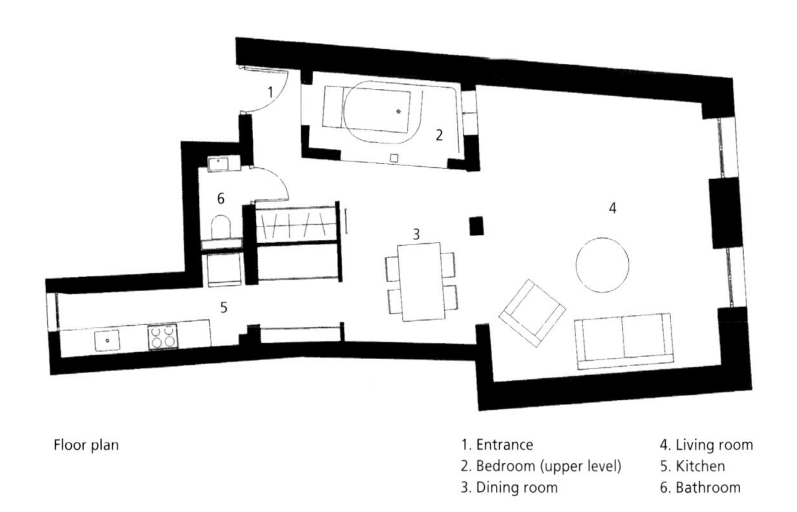

Floor plan

1. Entrance
2. Bedroom (upper level)
3. Dining room
4. Living room
5. Kitchen
6. Bathroom

Das weiß gestaltete Bad aus gemasertem Marmor ist das einzige Luxuselement in dieser ansonsten bewusst schlicht gestalteten Wohnumgebung, die dem industriellen Erbe dieses Lofts Tribut zollt.

The bath, with white veined marble surfaces and curtains, is the only luxury element among the simple selection of materials which bear witness to the industrial past of the apartment.

La baignoire, avec ses surfaces en marbre blanc veiné et ses rideaux, est le seul élément de luxe au milieu de matériaux simples qui témoignent du passé industriel de l'appartement.

De badkamer met zijn gordijnen en geaderde witte marmer is het enige luxueuze element in de verzameling eenvoudige materialen die getuigen van het industriële verleden van dit appartement.

Bei der Renovierung dieser Wohnung wurde im ersten Schritt eine abgehängte Decke entfernt und der Hauptraum zu einem Wohnzimmer mit integrierter Küche umgebaut. Die zentrale Wand der Wohnung wurde durchbrochen, um einen offenen Mittelbereich mit integriertem Bad und Ankleidezimmer zu schaffen. Wände und Decken sind weiß; der Mittelbereich ist in Dunkelgrau gehalten.

The objective was to resurrect an old two room apartment. The first step was to remove a false ceiling and make the main room a living room with integrated kitchen. An opening was made in the apartment's central wall and a middle area was constructed, into which a bathroom and dressing room have been incorporated. White for the walls and ceilings, and grey for the central area.

BOHEMIAN AIR

Philippe Harden and Atelier des Neuf Portes

Paris, France

Le but était de faire revivre un vieux deux pièces. La première chose a été d'enlever le faux plafond et de transformer la chambre principale en salle de séjour avec cuisine incorporée. Le mur central a été perforé et une zone ouverte a été construite dans laquelle ont été intégrés salle de bain et dressing. Du blanc sur les murs et plafonds et du gris sur le volume central.

Het doel was een oud appartement met twee kamers weer tot leven te wekken. Als eerste werd een verlaagd plafond verwijderd en werd van het hoofdvertrek een woonkamer met open keuken gemaakt. Er werden openingen in de hoofdwand gemaakt en er werd een open, centrale zone gecreëerd voor de badkamer en kleedkamer. De wanden en plafonds zijn wit, het middelste deel is grijs.

Wände und Decken wurden weiß gestrichen, um mit dem Dunkelgrau des Mittelbereichs und den schwarzen Kacheln im Bad zu kontrastieren.

The walls and the ceilings have been painted white to contrast with the central grey area and the black tiles in the bathroom.

Les murs et plafonds sont peints en blanc, en contraste avec le gris du volume central et les carreaux noirs de la salle de bain.

Wanden en plafond zijn witgeschilderd en contrasteren met het grijze middelste deel en de zwarte tegels van de badkamer.

Dieses Appartement wurde in L-Form gestaltet: Hinter Schlafzimmer und Bad liegt der an den Garten grenzende Wohnbereich. Horizontale und vertikale Linien prägen die Komposition. Wohnbereich, Küche und Esszone bilden den kurzen Arm des L; diese Bereiche werden durch eine Doppelsäule und eine Doppelwand separiert. Die ausgewählten Materialien vermitteln ein urbanes Flair.

The space was constructed in an 'L' shape to create continuity between the private areas and to open the living room onto the garden. Horizontal and vertical lines constitute the lineal composition. The living room forms the short arm of the 'L', joined to the kitchen and the dining room by a double column and double wall. The materials chosen create an urban air.

ᴾURE MINIMALISM

ːandy Brown Architects

ebraska, U.S.A.

ɜt espace a été dessiné en L afin de
ɔnner une continuité entre les pièces
ivées et d'ouvrir le séjour sur le jardin.
ıorizontal et le vertical forment la
ɪmposition linéaire de cet appartement.
salon correspond à la base du L, articulé
r la cuisine et la salle à manger par une
ɔuble colonne et un double mur. Les
atériaux donnent un style urbain.

Er werd een L-vormige ruimte gecreëerd om de privézones in elkaar te laten overgaan en de woonkamer in de tuin te laten overlopen. De lineaire compositie van dit appartement wordt bepaald door horizontale en verticale lijnen. De woonkamer vormt de korte poot van de L en is met keuken en eetkamer verbonden door een dubbele zuil en dubbele wand. De materialen zorgen voor een stadse sfeer.

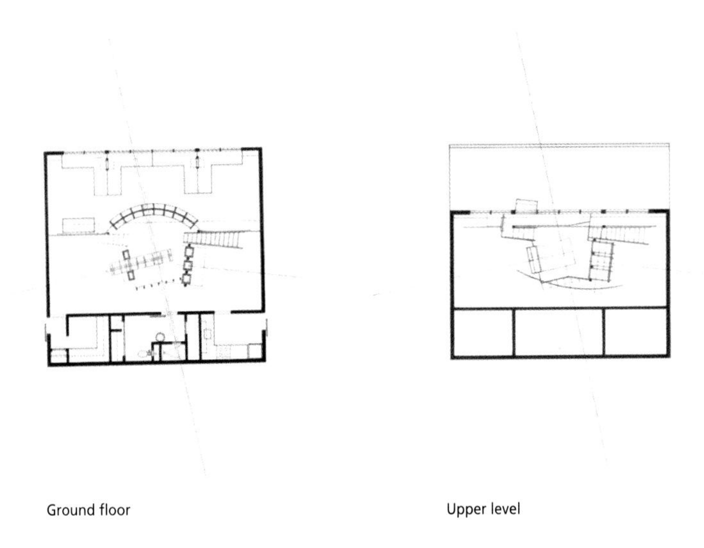

Ground floor

Upper level

ie axonometrische Ansicht verdeutlicht die
ɔsition der Möbel, Panele und Regale.

An axonometric view reveals the positioning of furniture, sliding panels and shelves.

ne vue axonométrique situe le mobilier, les
anneaux coulissants et les étagères.

Een perspectivisch aanzicht toont hoe meubilair, schuifpanelen en stellages gepositioneerd zijn.

In dieser Wohnung gab es ursprünglich einen zentralen Flur, von dem mehrere kleine Räume abgingen, die kaum oder gar kein Tageslicht hatten. Wie so oft bestand die beste Lösung darin, die bestehende Aufteilung komplett zu entfernen und bei Null anzufangen. Die Architekten nutzten die Gelegenheit zum Einbau neuer Fenster, die viel Licht in die Wohnung lassen.

This small apartment was built around a central corridor off which there were several small rooms that had little or no natural light. As is usually the case, the best solution was to knock down all the existing divisions and start from scratch. The architects took advantage of the opportunity to create new windows that bring light into the rest of the flat.

BATHED IN LIGHT

Maximiá Torruella

Barcelona, Spain

Ce petit appartement a été conçu autour d'un couloir central d'où partaient plusieurs petites pièces où la lumière du jour n'entrait pas ou peu. Comme c'est généralement le cas, la meilleure solution était d'abattre toutes les cloisons et de recommencer de zéro. Les architectes en ont profité pour percer de nouvelles fenêtres afin de donner de la lumière au reste de l'appartement.

Dit kleine appartement heeft een centrale gang die uitkwam op een aantal kleine kamers waar weinig of geen daglicht binnenviel. Net als in de meeste gevallen was de beste oplossing alle bestaande scheidingen te verwijderen en van nul af aan te beginnen. De architecten namen hun kans waar en brachten nieuwe ramen aan om de rest van het huis van licht te voorzien.

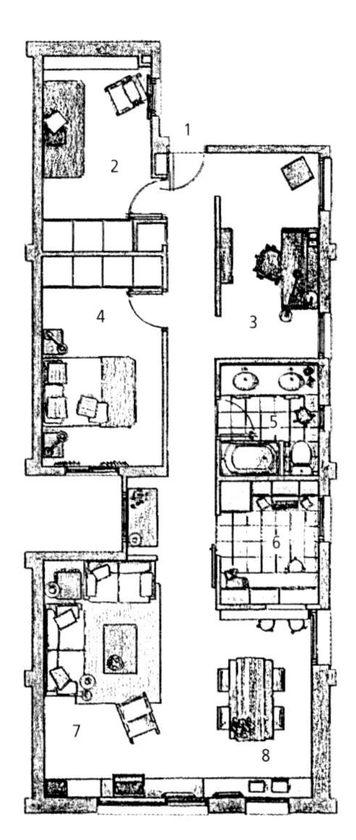

1. Entrance
2. Salon
3. Studio
4. Bedroom
5. Bathroom
6. Kitchen
7. Living room
8. Dining room

Floor plan

Die Kleiderschränke verfügen über viele praktische Regale sowie moderne Vorrichtungen zum Aufhängen von Hosen oder Wäsche.

The wardrobes include plenty of practical shelves on which to place clothes, as well as a modern folding mechanism on which to hang trousers or to dry damp clothes.

Les placards renferment de nombreuses étagères pratiques pour ranger les vêtements, ainsi qu'un mécanisme moderne pliable pour suspendre les pantalons ou faire sécher les vêtements humides.

De kasten bieden veel praktische planken voor kleding, evenals een modern vouwmechanisme om broeken aan op te hangen of was te drogen.

Renovieren muss nicht teuer sein: Hier wurden die alten Holzbalken und Böden weiß gestrichen. Hinzu kamen Wände und Mobiliar in Weiß und Orange, sowie acht neue Fenster. Oben liegt das 16 m² große Schlafzimmer mit zwei Treppen: einer freitragenden Stiege und einer weiteren im Stil einer Notausgangstreppe. Unten sind der Wohnbereich, die traditionell geflieste Küche und das Bad.

The renovation of this house was done without spending a lot of money. White and orange surfaces and partition walls, and exposed old wooden beams. Later eight windows were made. A 16 m² loft makes a bedroom and has two staircases: one a floating staircase and the other like emergency exit staircases. Living area, kitchen with hydraulic tiles and a bathroom are downstairs.

ƆUPLEX IN MALASAÑA

ʀocío Fueyo Casado

ʌadrid, Spain

e logement a été rénové avec peu de
ıoyens. Du blanc et de l'orange pour les
ırfaces et cloisons, et de vieilles poutres
ɔparentes. Plus tard, huit fenêtres ont été
ercées. Une mezzanine de 16 m² avec
eux escaliers, l'un en saillie et l'autre
ıitant ceux d'incendie, sert de chambre
coucher. En bas, salle de séjour, cuisine
ʋec carreaux hydrauliques et salle de bain.

De renovatie van deze woning vond met weinig middelen plaats. Wit en oranje voor grondvlakken en wanden, en zichtbare oude houten balken. Later werden acht ramen toegevoegd. Een tussenverdieping van 16 m² dient als slaapkamer en heeft twee trappen: een die bijna lijkt te zweven en een brandtrap. De woonkamer, keuken met vochtafstotende plavuizen en badkamer beslaan de benedenverdieping.

for fake
for fake

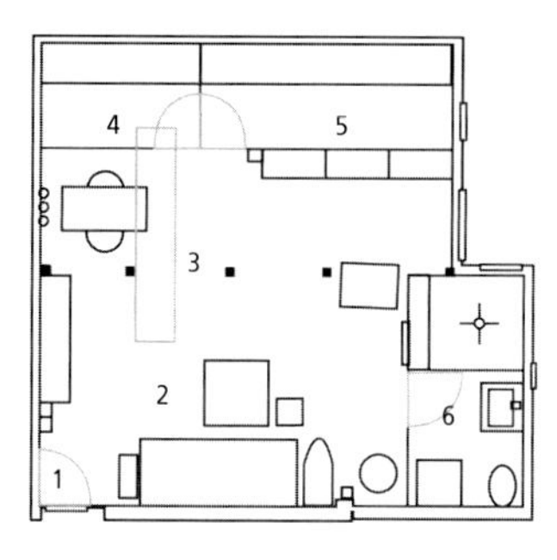

Ground floor

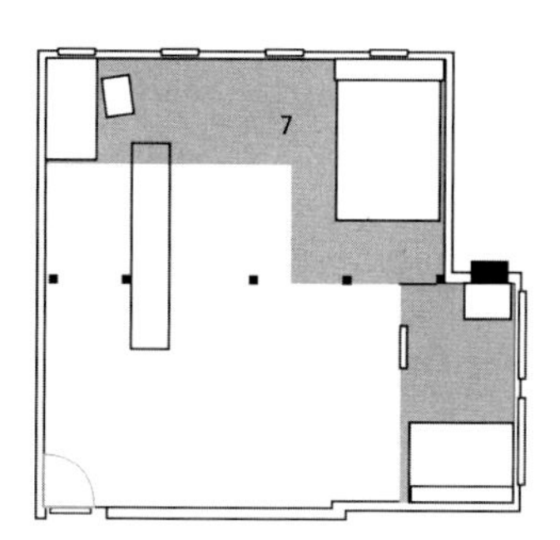

1. Entrance
2. Living room
3. Dining room
4. Dressing room
5. Kitchen
6. Bathroom
7. Bedroom

Upper level

der Renovierung wurde die alte Struktur ändert: Einige Trennwände und Teile der cke wurden entfernt. Zudem wurden neue ster eingebaut, um das Tageslicht optimal zu zen.

Some of the partition walls and parts of the ceiling have been removed, changing the original distribution. Also, windows have been made so that natural light comes in for most of the day.

elques murs et une partie du plafond ont été ninés, ce qui change la distribution d'origine. fenêtres ont été percées, ce qui permet à la ière du jour de pénétrer presque toute la rnée.

De oorspronkelijke indeling is gewijzigd door enkele tussenschotten en plafonddelen weg te halen. Ook zijn er ramen in gemonteerd, zodat een groot deel van de dag het daglicht binnenvalt.

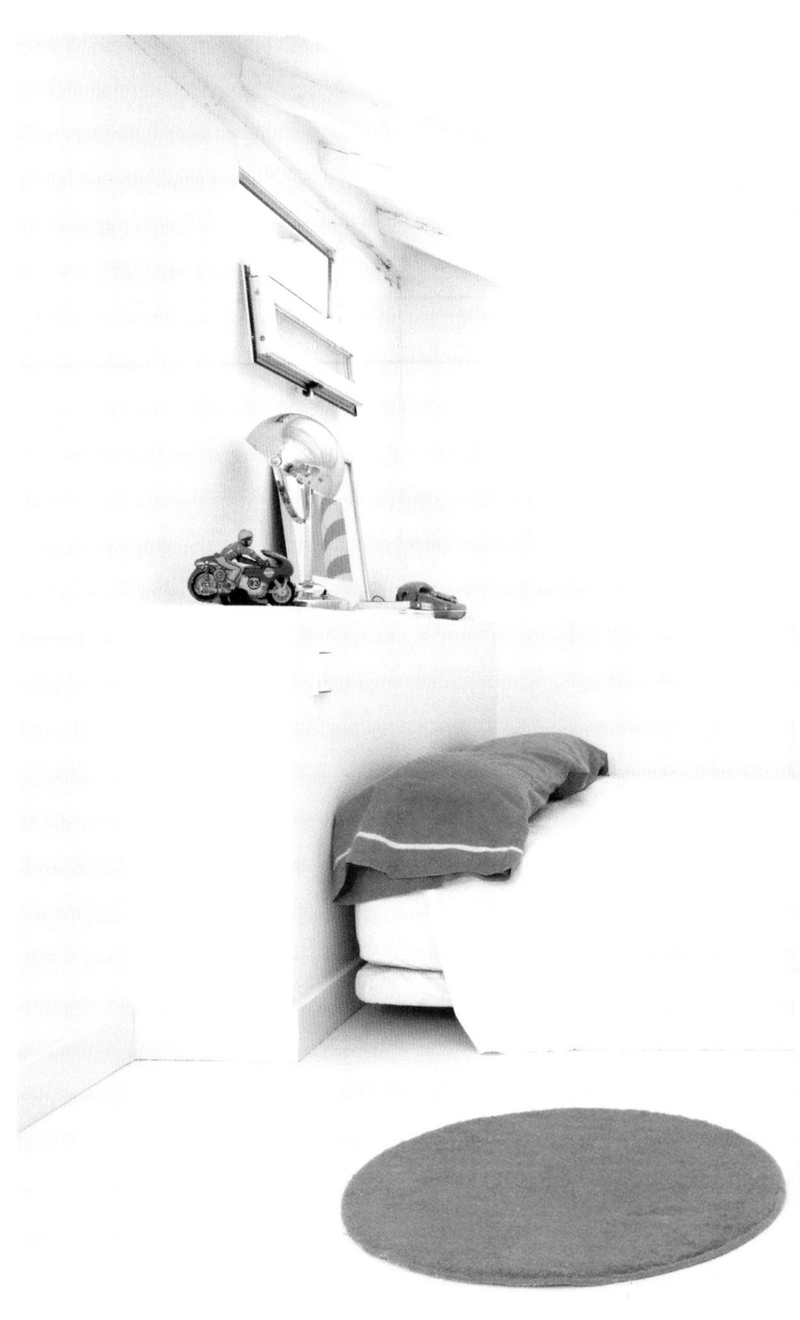

Der Wohnungseigentümer wünschte sich eine minimalistische Gestaltung in Bezug auf Freiflächen, Möbel und Farben. Die Farbwahl fiel auf Weiß und Silber; die neue Designertreppe wurde farblich angepasst. Unten: Küche mit Schrank/Vorratskammer und Wohnbereich. Die Wohnzonen im Obergeschoss (Schlafbereich und Bad) sind durch Glaswände getrennt; Spiegelflächen erhellen den Raum.

The owner of this house wanted a home with minimum obstacles, furniture and chromatic changes. White and silver were chosen, along with a designer staircase which was lighter than the previous one. Downstairs: kitchen, with a cupboard that can convert to a larder, and a living room. Upstairs (night time area): divisions made of glass and mirrors lighten the space.

ɿAPARTMENT IN BRASILIA

ernandes & Capanema

rasilia, Brazil

propriétaire de cette maison souhaitait
moins de barrières, de meubles et de
uleurs possibles. On a opté pour le blanc
l'argenté et un escalier design plus
scret que le précédent. En bas, la cuisine
ec un placard qui peut aussi servir de
rde-manger, et la salle de séjour. En haut
one de nuit), les séparations en vitres et
iroirs allègent l'espace.

De eigenaar van dit huis wilde een
woning met zo min mogelijk obstakels,
meubels en kleurverschillen. Er werd
gekozen voor de kleuren wit en zilver en
voor een trap die lichter was dan de oude
trap. Beneden: de keuken met een kast
die ook als voorraadkast kan dienen, en de
woonkamer. Boven (met de privévertrekken)
creëren glas en spiegels een lichte sfeer.

PIERRE VERGER

Die neue Wendeltreppe scheint gleichsam in der Luft zu schweben; sie verbindet den Tageswohnbereich mit dem Obergeschoss, das den Schlafbereich, die Ankleide und das Bad beherbergt.

The new spiral staircase appears to be suspended in mid air, and connects the day time areas with the private spaces on the upper level, among which are the bedroom, the dressing room and the bathroom.

Le nouvel escalier en colimaçon semble être suspendu dans l'air. Il relie la zone de jour avec l'espace privé de l'étage : la chambre à coucher, le dressing et la salle de bain.

De nieuwe wenteltrap lijkt in de lucht te zweven en verbindt de benedenverdieping met de privévertrekken op de bovenverdieping, waar zich de slaapkamer, kleedkamer en badkamer bevinden.

Bei dieser Renovierung ging es darum, eine neue Aufteilung vorzunehmen, die Raumanzahl zu reduzieren und die Ästhetik zu modernisieren. Ein Loungebereich sollte kreiert und die Tageswohnbereiche – Wohnzimmer, Esszimmer und Küche – sollten optimal gestaltet werden. Der Flur wurde entfernt, um den Zugang zu Schlafzimmer und Bad zu erleichtern und zugleich mehr Platz zu schaffen.

The renovation of this urban flat was needed to redefine the distribution, reducing the number of rooms and modernising the aesthetics. The objective was to create a lounge area and make more of the day areas: living room, dining room and kitchen. Access to the night time areas and circulation around them were improved by eliminating the corridor and gaining space.

MINIM STUDIO

Estudio MINIM

Barcelona, Spain

Cet appartement urbain a été transformé afin de revoir sa distribution, réduire le nombre de chambres et rafraîchir son esthétique. L'idée était de créer un coin lounge et de mettre en valeur les pièces à vivre : salon, salle à manger et cuisine. Dans les pièces de nuit l'accent a été mis sur la circulation et l'accessibilité, en éliminant le couloir et en gagnant de la place.

Dit appartement werd verbouwd omdat een nieuwe indeling nodig was. Daarbij moesten er minder kamers en een moderne inrichting komen. Doel was een suite te creëren en de woonkamer, eetkamer en keuken groter te maken. De vertrekken voor de nacht werden toegankelijker gemaakt door de gang te verwijderen en de functionele vertrekken te vergroten.

'm die Räume heller und größer wirken zu ıssen, wurden die Wände weiß angestrichen. ür die Böden in Wohn- und Schlafzimmer wurde ichenparkett verwendet. Der Küchenboden vurde mit grauen Tonfliesen verlegt.

The walls were painted white in order to increase luminosity and the feeling of space. Solid oak parquet was used for the floors and grey porcelain in the kitchen.

'our accentuer la luminosité et la sensation 'espace, les murs ont été peints en blanc. Au ol, un parquet en chêne massif, principalement ncollé, et des carreaux gris en porcelaine dans la uisine.

Om de lichtheid en het ruimtelijke gevoel te benadrukken, werden de wanden witgeschilderd. Voor de vloer werd parket van massief eiken gebruikt, grotendeels gelijmd. De vloer in de keuken is van grijs porselein.

Die Gestaltung der Inneneinrichtung beruhte auf zwei Prämissen: Schaffung von Räumlichkeiten, die sich für Geschäftsbesprechungen eignen, und neapolitanische Ästhetik. Der Flur führt in einen großen Raum mit einem Wohn- und einem Küchenbereich; beide werden durch einen halboffenen Raumteiler mit küchenseitig eingebauter Hängeschrankreihe und Arbeitsplatte getrennt.

The interior design plan was drawn up with two premises: the need to create areas suitable for meetings, and Neapolitan aesthetics. The areas of the entrance hall, the living room and the kitchen are connected by a large opening between the hanging cupboards and the work surfaces. Ceramic material and glass have been combined with wood for the bathroom.

C.E.D.V. HOUSE

ilippo Bombace

ome, Italy

e travail de décoration s'est fait autour
e deux concepts : le besoin d'habiliter des
spaces pour des réunions, et le choix de
esthétique napolitaine. L'entrée, le salon
t la cuisine sont reliés par une vaste
uverture entre des placards suspendus
t les plans de travail. Dans la salle de
ain, on a utilisé une combinaison de
éramique, de verre et de bois.

De binnenhuisarchitect moest zich aan twee voorwaarden houden: de ruimten moesten geschikt zijn voor vergaderingen en de Napolitaanse esthetiek moest erin uitkomen. De entree, woonkamer en keuken zijn met elkaar verbonden door een grote opening tussen hangende kasten en de werkoppervlakken eronder. In de badkamer zijn keramiek en glas gecombineerd met hout.

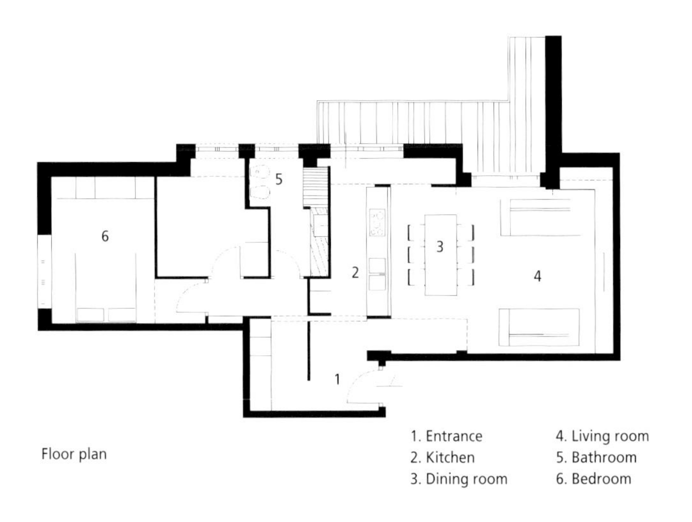

Floor plan

1. Entrance
2. Kitchen
3. Dining room
4. Living room
5. Bathroom
6. Bedroom

Das Badezimmer wirkt größer durch ein transparentes Glaspanel, das in die Trennwand eingebaut wurde, welche die Duschzelle vom restlichen Badbereich abtrennt.

Greater depth has been achieved in the bathroom by installing a transparent panel of glass, perfectly integrated in the partition wall which separates the shower from the rest of the elements in the space.

Dans la salle de bain on a obtenu une plus grande profondeur grâce à un panneau en verre transparent parfaitement intégré dans la cloison qui sépare la douche du reste des éléments.

Dankzij een transparant paneel van glas dat naadloos in het tussenschot overgaat, heeft de badkamer meer diepte. Het tussenschot scheidt de douche van de overige elementen.

MADONNA

Diese Wohnung teilt sich in zwei verschiedene, miteinander verbundene Ebenen auf. Ein bewegliches Panel aus Polycarbonat trennt Küchen- und Wohnbereich. Der Boden der unteren Ebene besteht aus Betonplatten, während der Boden der oberen Ebene – der Schlafbereich – mit Holzlaminat verlegt wurde. Die großen Fenster lassen die Wohnung in hellem Licht erstrahlen.

The interior of this home is on two different levels which are interconnected. The shared areas are separated by a movable polycarbonate panel. On the lower level the flooring is concrete slabs, while upstairs - the night area - the floor is covered in laminate wood floorboards. The constant quest for light has been solved by large windows.

APARTMENT IN SÃO PAULO

Fernando Canguçu

Campinas, Brazil

'intérieur de cette maison se répartit sur
leux niveaux. Les espaces communiquent
es uns avec les autres. Les parties
ommunes sont reliées par un panneau
nobile en polycarbonate. Le sol du rez-de-
haussée est recouvert de dalles de béton
t l'étage –zone de nuit– de parquet en
ois. De grandes baies vitrées apportent
ine lumière constamment recherchée.

Het interieur van deze woning is over twee niveaus verdeeld. De verschillende zones zijn onderling verbonden. Een verschuifbaar paneel van polycarbonaat verbindt de delen voor algemeen gebruik met elkaar. De benedenverdieping is bekleed met betonplaten en de bovenste verdieping – voor de nacht – met een planken vloer. Het tekort aan lichtinval is opgelost met grote ramen.

in bewegliches, exakt nach Maß gefertigtes, roßes Panel aus Polycarbonat trennt den Vohnbereich vom offen gestalteten .üchenbereich mit zentraler Kochinsel.

The kitchen is completely open with a central island, and is separated from the dining room by a large, movable, polycarbonate panel, which has been designed by the architect to fit exactly.

a cuisine est totalement ouverte, et comprend n îlot central qui la sépare de la salle à manger ar une grande cloison mobile en polycarbonate onçue sur mesure par l'architecte.

De keuken is volledig open en bestaat uit een centraal eiland. Een groot verschuifbaar paneel van polycarbonaat, door de architect op maat ontworpen, scheidt hem van de eethoek.

Dieses Appartement befindet sich in der Altstadt von Barcelona in einem Haus, wo jedes Stockwerk einem Schriftsteller der Stadt gewidmet ist; in diesem Falle Joan Brossa. Die mit raffinierten Verglasungen ausgestattete Dachwohnung besticht durch ihren Panoramablick und die funktionelle Einrichtung von Küche, Bad, Wohn-/Esszimmer und Schlafzimmer.

This apartment is in a building which is located in the old quarter of the city, and each floor is dedicated to a literary author associated with Barcelona: in this case, Joan Brossa. It is a glazed attic with panoramic views, decorated in a functional way, and fully equipped with a complete kitchen, a bathroom, a living-dining room and a double bedroom.

BROSSA ATTIC, LA CASA DE LES LLETRES

Grup Cru

Barcelona, Spain

Cet appartement se trouve dans un immeuble de la vieille ville dont la particularité est que chaque appartement est consacré à un auteur littéraire en rapport avec Barcelone ; dans ce cas Joan Brossa. Atico aux baies vitrées, à la vue panoramique et à la décoration fonctionnelle. Cuisine totalement équipée, salle de bain, salon-salle à manger et grande chambre.

Dit appartement bevindt zich in een gebouw in de oude stadskern. Elke verdieping is gewijd aan een schrijver die met Barcelona is verbonden; in dit geval aan Joan Brossa. Deze zolderverdieping met veel glas en een weids uitzicht is op een functionele manier vormgegeven. Het appartement heeft een complete keuken, een badkamer, een woon- annex eetkamer en een tweepersoonsslaapkamer.

TABLAS

chlafzimmer und Bad sind durch Glaswände
oneinander getrennt. Natürliche Farben und
riginelle doch zugleich dezente Dekorationen
rägen das individuelle Wohnflair.

The master bedroom and the bathroom are
connected through a modest dressing room.
Natural colors and discreet decoration are the
key to achieving a serene atmosphere.

a chambre principale et la salle de bain
ommuniquent entre elles par un petit coin
ressing. Le naturel des couleurs et une
écoration discrète sont la clef de cette
mbiance apaisante.

De slaapkamer en badkamer worden met elkaar
verbonden door een bescheiden kleedkamer.
Natuurlijke kleuren en een onopvallende
decoratie zorgen voor een serene sfeer.

ACDEFGHIJKLMNPRS
TUVWXYZ

Bei der Renovierung dieser Wohnung wurde entschieden, die Tageswohnbereiche zu einem einzigen großen Raum zusammenzuführen. Alle Schrankmodule öffnen sich unter Einsatz eines Drucksystems. Zwischen Küche und Wohnbereich stehen zwei gusseiserne Säulen, die ein nostalgisches Flair verbreiten. Der Boden wurde mit matt lackiertem Kiefernparkett verlegt.

In remodelling this home the decision was made to bring the daytime areas together in one space, although in an unusual way. All the modules open using a pressure system. Between the kitchen and the living area are two cast iron columns which bring to mind memories of the past. The floor has been covered in pine wood boards with a satin varnish.

N ALMIRANTE STREET

:GR Arquitectos

ᴧadrid, Spain

ans le projet de rénovation de cet ɔpartement, on a décidé de réunir les èces à vivre en un espace unique airement compartimenté. Tous les odules s'ouvrent par un système à ression. Entre la cuisine et la salle de ɜjour, deux colonnes en fer forgé ppellent le passé. Le sol a été recouvert ɜ parquet en pin verni satiné.

Bij de renovatie werd ervoor gekozen de vertrekken voor de activiteiten van overdag in één ruimte onder te brengen, maar ze wel goed van elkaar te onderscheiden. Alle meubelelementen gaan open met een druksysteem. Tussen de keuken en het woongedeelte herinneren twee gietijzeren zuilen aan het verleden. Op de vloer liggen platen van pijnboomhout met een satijnvernis.

ie großen Balkonfenster lassen viel Tageslicht
erein.

Natural light streams in from the balcony.

a lumière du jour inonde l'appartement par les
alcons.

Via de balkons stroomt daglicht binnen.

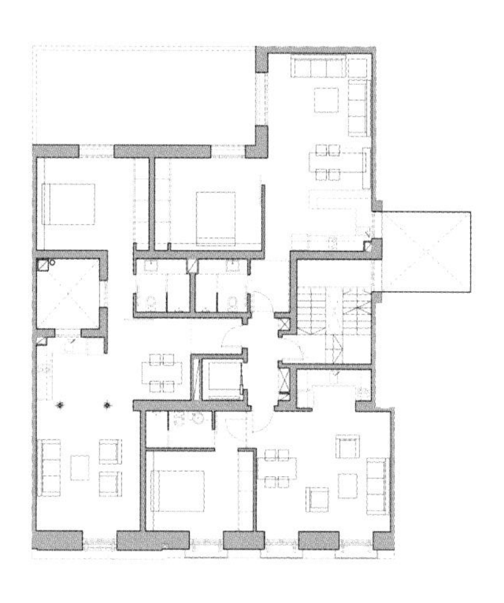

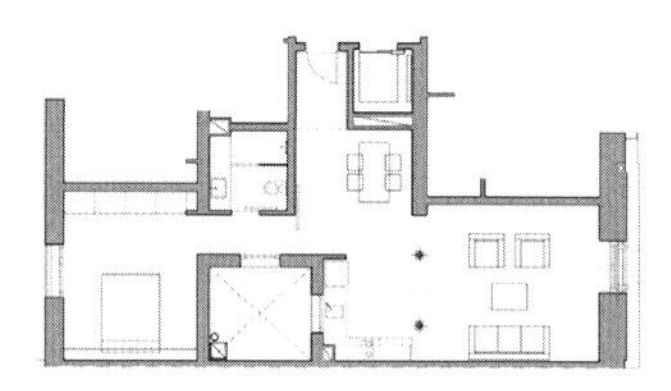

Floor plans

Hinter der Holzplatte am Kopfende des Betts befindet sich ein Arbeitstisch mit zwei Lampen, die auch zur Bettlektüre genutzt werden können.

A work space is hidden behind the wooden headboard of the bed, and the light there can be used for working or for night time reading.

La tête de lit en bois cache un espace de travail. La même lampe sert pour travailler et pour lire au lit.

Achter het houten hoofdeinde van het bed gaat een werkruimte schuil. Bij het licht van één en dezelfde lamp kan zowel gewerkt als in bed gelezen worden.

Das Ziel der Renovierung bestand hier darin, mehr Platz zu schaffen. Das Appartement wurde in drei Bereiche unterteilt: Im vorderen Teil liegen Küche und Esszimmer; im Mittelteil das Wohnzimmer und im hinteren, an den Garten grenzenden Teil die Bereiche zum Lesen und Schlafen. Für den Boden wurde glänzendes Linoleum gewählt; Bambusholz und weißes MDF dominieren im Mittelteil.

The remodelling consisted of emptying the apartment to make one central space. The flat was divided into three areas: the front area with kitchen and dining room; the central area with living room; and, at the back next to the building's garden, the areas for reading and sleeping. The flooring is shiny rubber linoleum, with bamboo and white painted MDF for the central space.

APARTMENT IN AMSTERDAM

i 29 Office for Design

Amsterdam, The Netherlands

Les travaux ont consisté à dégager l'espace pour le transformer en un volume central unique. L'appartement a été séparé en trois espaces : à l'avant la cuisine et la salle à manger, au centre le séjour et au fond, à côté du jardin de l'immeuble, les coins de lecture et de repos nocturne. Revêtement en linoléum brillant , bambou et MDF peint en blanc pour le volume central.

Dit project moest de ruimte leegmaken en samenvoegen tot één leefsfeer. Het appartement werd onderverdeeld in drie zones: aan de voorzijde de keuken en eetkamer, in het midden de woonkamer en aan de achterzijde, grenzend aan de tuin van het gebouw, een ruimte voor nachtrust en lezen. De linoleum vloer heeft een glanslaag. Het middelste element is van witgeschilderd MDF en bamboe.

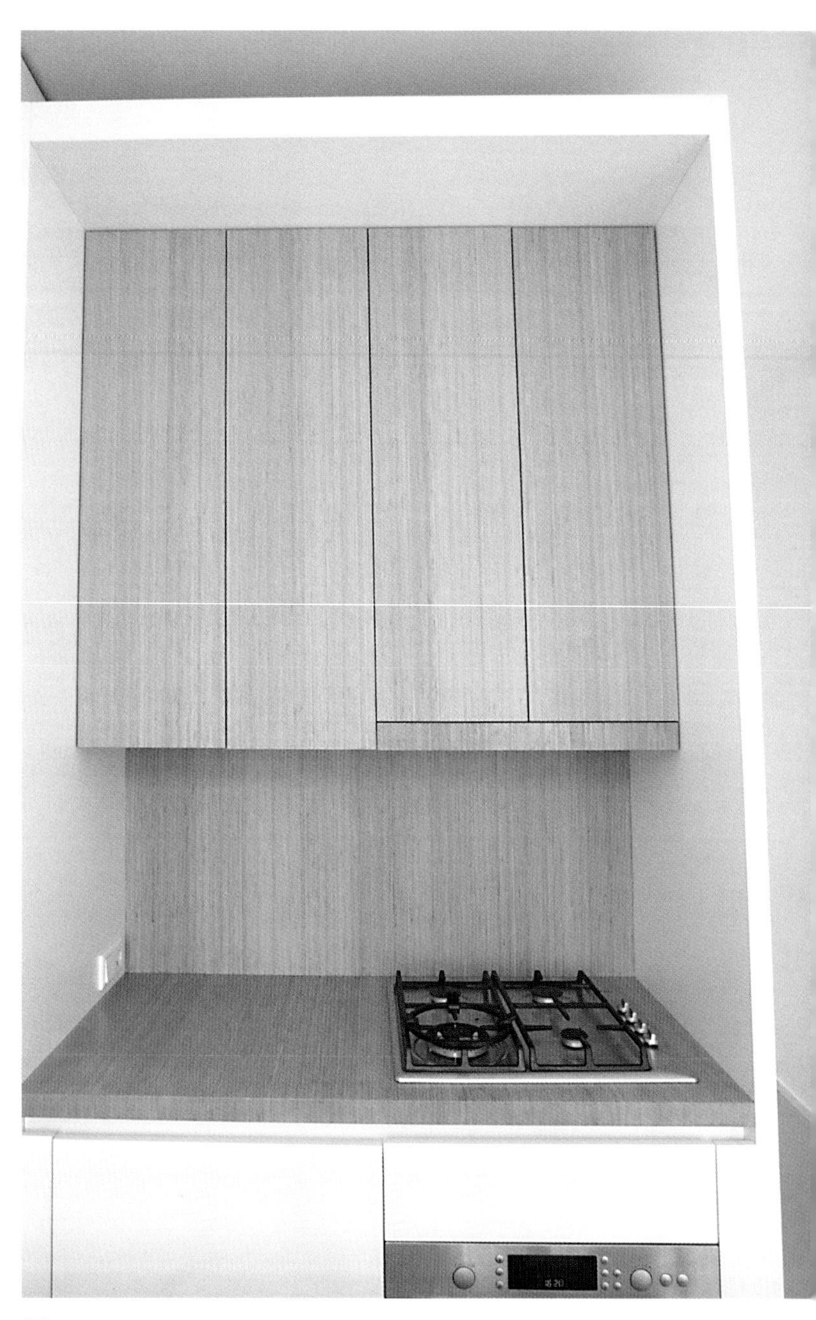

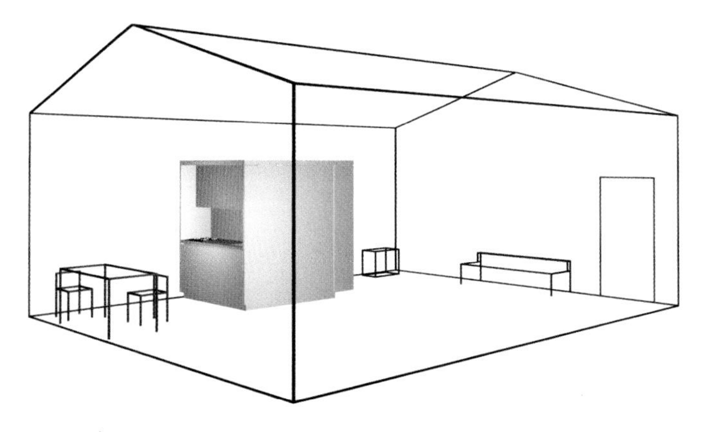

Diagram of apartment

Der Raum lässt sich vielseitig nutzen und bietet reichlich Platz zum Aufbewahren. Tägliche Routineaktivitäten wurden auf eine zentrale Stelle verlagert, was mehr Platz in der restlichen Wohnung schuf.

Ce volume intègre plusieurs utilisations et permet de ranger une grande quantité d'objets. Le fait que les éléments qui s'utilisent peu soient rangés, libère de l'espace pour le reste de l'appartement.

This space has various uses and provides storage for a large quantity of belongings. By bringing together activities which only take place a few times a day, space is freed up in the rest of the apartment.

Deze ruimte voegt verschillende functies samen en biedt veel bergruimte. Door de voorzieningen die maar een paar keer per dag gebruikt worden bij elkaar te plaatsen, ontstaat elders in het appartement ruimte.

Die 3,5 Meter hohen Decken dieser Wohnung boten genug Platz zum Bau einer kleinen Galerie. Unten: Wohnbereich inklusive Ausziehschrank auf Rollen, Bad und Küche, versteckt hinter einem Panel aus Faltschiebetüren. Oben: Schlafbereich, nur 1,5 Meter hoch. Möbel aus lackiertem Holz, Eichenparkett und indirekte Lichtquellen vervollständigen die markante Inneneinrichtung.

The 3.5 metre high ceilings in this apartment left room to build an MDF gallery. Downstairs: a pull out cupboard on wheels, the bathroom, a dressing room and the kitchen, hidden behind a panel of folding doors. Upstairs: the bedroom, only 1.5 metres high. Furniture made of lacquered wood, solid oak industrial floorboards, and panels of indirect light complete the interior design.

LIVING UP HIGH

Beriot Bernardini

Madrid, Spain

Les murs de 3,5 m de haut ont permis de aire une mezzanine en MDF. En bas, un placard amovible à roulettes, la salle de bain, le dressing et la cuisine, cachée derrière un panneau de portes abattables. En haut, la chambre de 1,5 m de haut. Des meubles en bois laqué, un parquet ndustriel en chêne massif et des plafonniers de lumière indirecte complètent la décoration.

Dankzij de 3,5 m hoge plafonds was het mogelijk een tussenverdieping van MDF te maken. Beneden: een uitschuifbare kast op wieltjes, de badkamer, kleedkamer en keuken, verborgen achter een paneel van klapdeuren. Boven: de slaapkamer van slechts 1,5 m hoog. Meubels van gelakt hout, een eiken vloer en indirect licht gevende plafondlampen maken het interieur compleet.

Um den Raum dieser zwar kleinen, doch über hohe Decken verfügenden Wohnung optimal zu nutzen, wurde sie in zwei unterschiedlich hohe Ebenen unterteilt. Der Kleiderschrank befindet sich unter der Treppe.

To make the most of the space in this small apartment with high ceilings, it was divided into two areas of different heights. There is a wardrobe under the staircase.

Pour tirer le plus grand parti de ce petit appartement aux plafonds hauts, l'espace a été divisé en deux parties de différente hauteur. Un dressing se trouve en-dessous de l'escalier.

Om optimaal van dit appartement met zijn hoge plafonds te profiteren, werd de ruimte in twee delen van verschillende hoogten verdeeld. Een kledingkast bevindt zich onder de trap.

Die Inneneinrichtung dieses Lofts erinnert an ein Schiff: Offene Räume, hohe Decken und Holzplanken sorgen für maritimes Flair. Wohnraum, Küche, Schlafzimmer und Bad befinden sich unten. An den zentralen Wohnraum grenzt die Küche mit einer in Rot gehaltenen Kochinsel als Blickfang. Große Dachfenster lassen viel Licht herein, wie auch die aus Glasblöcken gestaltete Frontwand.

The interior design of this loft is reminiscent of a boat. Open plan, high ceilings and wooden panels. The living room, the kitchen, the bedroom and the bathroom are downstairs. The living room is in the centre, with the kitchen to the left under skylights, where a red lacquered island forms a focal point. The front wall contains small blocks of glass which attract the light.

A FLOATING STUDIO

Thomas de Cruz

London, United Kingdom

La décoration de ce loft fait penser à un bateau. Diaphane, haut de plafond, avec des panneaux de bois. À l'étage principal, la salle de séjour, la cuisine, la chambre et la salle de bain. Le salon est en plein centre, la cuisine à sa gauche, sous une lucarne et avec un îlot laqué rouge comme point fort. Les petits morceaux de verre du mur d'en face attirent la lumière.

De binnenhuisarchitectuur van deze loft herinnert aan een schip. Hij laat licht door, heeft hoge plafonds en houten panelen. Op de hoofdverdieping zijn (in het midden) de woonkamer, keuken, slaapkamer en badkamer. Links van de woonkamer, onder een daklicht, is de keuken, met een opvallend roodgelakt eiland. De wand ertegenover bestaat uit glazen blokken die het licht doorlaten.

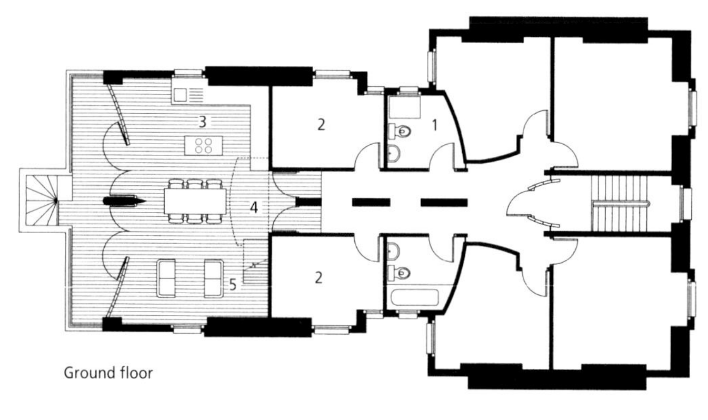

Ground floor

1. Bathroom
2. Bedroom
3. Kitchen
4. Dining room
5. Living room

Blick von oben. Der Arbeitplatz thront auf einer über dem Wohnraum schwebenden Plattform, von der eine Stahltreppe nach unten führt.

View from above. The study is above the living room on a platform, and the two are joined by steel rails and metal sheets.

Vue d'en haut. Studio sur le salon avec une plate-forme sur des rails en acier et des plaques métalliques.

Bovenaanzicht. De studeerruimte is boven de woonkamer en is ermee verbonden door een stalen reling en metalen platen.

Ziel dieses Projektes war, den kleinflächigen Wohnbereich multifunktionell als Wohn- und Schlafraum nutzbar zu machen. Zur optimalen Lichtnutzung wurde der Hauptwohnbereich in Fensternähe platziert. Die Nebenbereiche verbergen sich hinter weißen Vorhängen. Parallel zum Boden verlaufende Leuchtröhren verstärken den Eindruck von Sauberkeit und Ordnung.

The objective of this project was to transform the space and make a home that could also be a place in which to spend leisure time. The main areas are grouped together at the front to make the most of the light. Other secondary areas are hidden behind white curtains, and to create an effect of weightlessness and order, fluorescent white tubes have been placed along the floor.

IN THE HEART OF HONG KONG

Gary Chang/EDGE (HK) Ltd.

Hong Kong, China

Le but de ce projet était de transformer l'espace en un appartement qui soit aussi un lieu de loisir. Pour tirer parti de la lumière, les pièces principales ont été regroupées à l'avant. Les pièces secondaires ont été cachées derrière un rideau blanc. Pour donner un effet d'apesanteur et d'ordre, des tubes fluorescents blancs sillonnent le sol.

Doel van dit project was een woning te maken die ook geschikt was voor vrijetijdsbesteding. De belangrijkste ruimten liggen bij elkaar aan de voorzijde, om zoveel mogelijk van het licht te profiteren. De andere gebieden gaan schuil achter witte gordijnen. Om de indruk van gewichtloosheid en orde te accenturen, werd gebruikgemaakt van witte tl-buizen langs de vloer.

MONA LISA
THE LAST EMPEROR
COLD FEVER

)ie Kirschholzwand hinter dem Bett stammt von
ler Ursprungseinrichtung.

The cherry wood wall behind the bed is from the
original structure.

a tour en bois de cerisier, derrière le lit, est
l'origine.

De brede zuil van kersenhout achter het bed is
nog van de oorspronkelijke constructie.

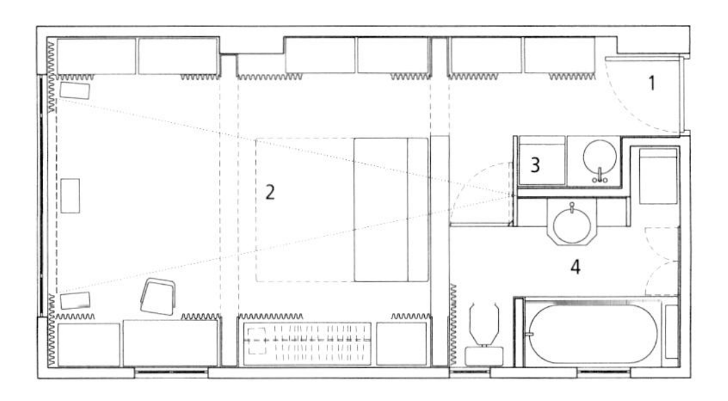

1. Entrance
2. Living room/ Bedroom
3. Kitchen
4. Bathroom

Floor plan

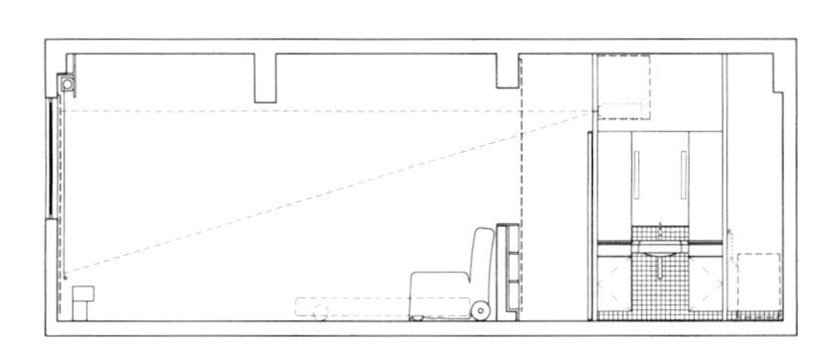

Longitudinal section

Eine Wandöffnung lässt Tageslicht ins Bad hinein, ohne die Privatsphäre zu stören.

An opening in the bathroom filters natural light without sacrificing privacy.

Dans la salle de bain, une ouverture filtre la lumière du jour sans enlever d'intimité.

Een opening in de badkamer laat daglicht door zonder afbreuk te doen aan de intimiteit van het vertrek.

In diesem lauschigen kleinen Appartement gehen Schlaf- und Wohnbereich nahtlos ineinander über und sind nur visuell durch den Säulenbogen getrennt. Die einzige Tür führt zur Küche. Ankleide und Bad sind durch ein Faltschiebesystem zugänglich. Praktische und dekorative Lösungen gepaart mit einer optimalen Raumaufteilung sorgen für die Bewahrung der Privatsphäre.

The alterations created a pleasant little apartment. Original arches were preserved as a visual division between the bedroom and the living area, and the only door separates the kitchen. The bedroom, dressing room and bathroom are accessible through folding doors. Practical and decorative solutions to maintain the perfect balance of privacy in a well divided space.

A ROOM WITH A VIEW

Nacho Marta

Barcelona, Spain

Après travaux, cet espace est devenu un appartement agréable. Les arcs d'origine ont été conservés comme séparation visuelle entre la chambre et le séjour. Une seule porte sépare la cuisine. On accède à la chambre, au dressing et aux toilettes par des portes escamotables. Des idées pratiques et décoratives pour conserver l'intimité nécessaire dans un espace bien compartimenté.

Na de renovatie was deze ruimte veranderd in een elegant appartement. Oorspronkelijke bogen, zoals die tussen woon- en slaapkamer, werden behouden. Eén deur scheidt de keuken af. Slaapkamer, kleedkamer en badkamer zijn toegankelijk via schuifdeuren. Praktische oplossingen waarborgen de juiste hoeveelheid privacy in een goed ingedeelde ruimte.

Der Tisch im Wohnbereich bietet Stauraum für Bücher und Magazine.

The table in the living area houses storage for magazines and books.

La table du salon abrite un espace de rangement pour les revues et les livres.

De tafel in de woonkamer heeft een onderblad voor tijdschriften en boeken.

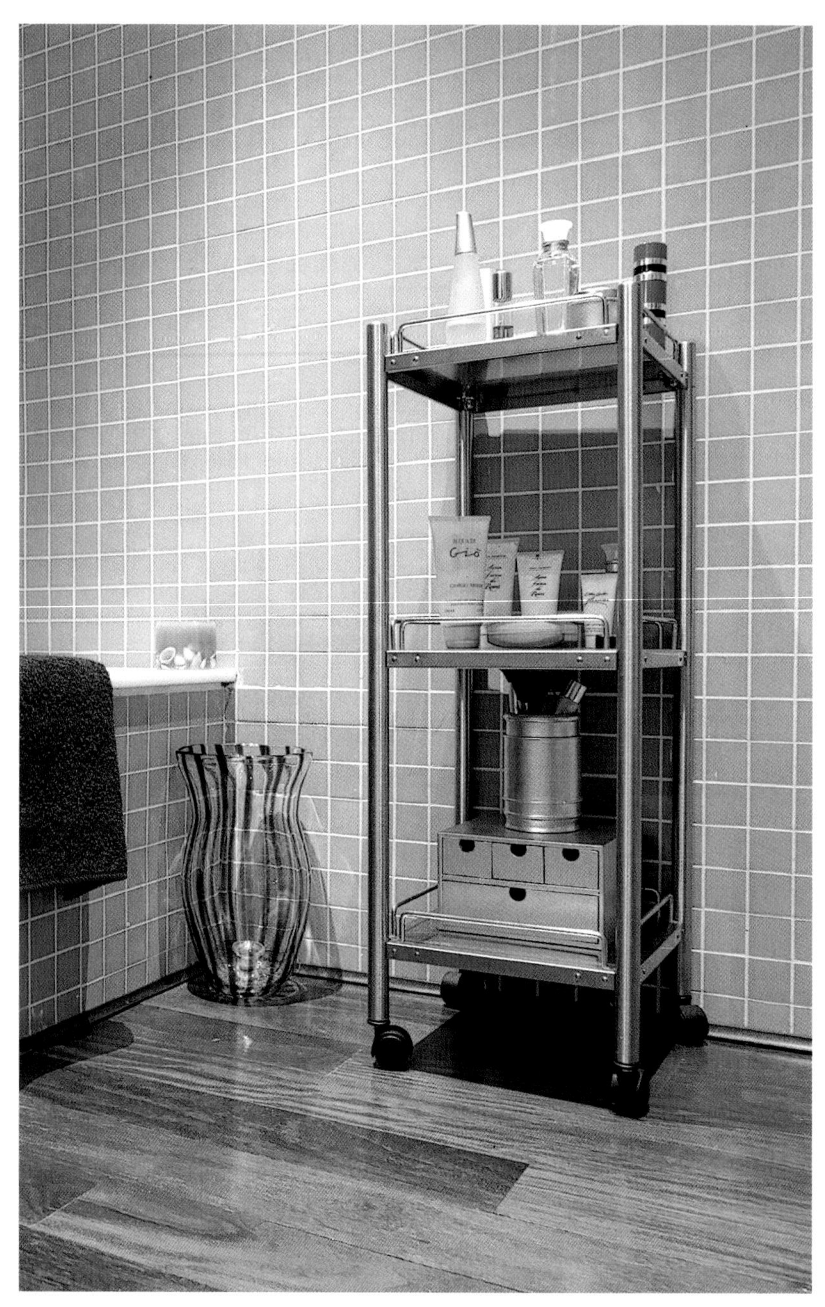
Giò

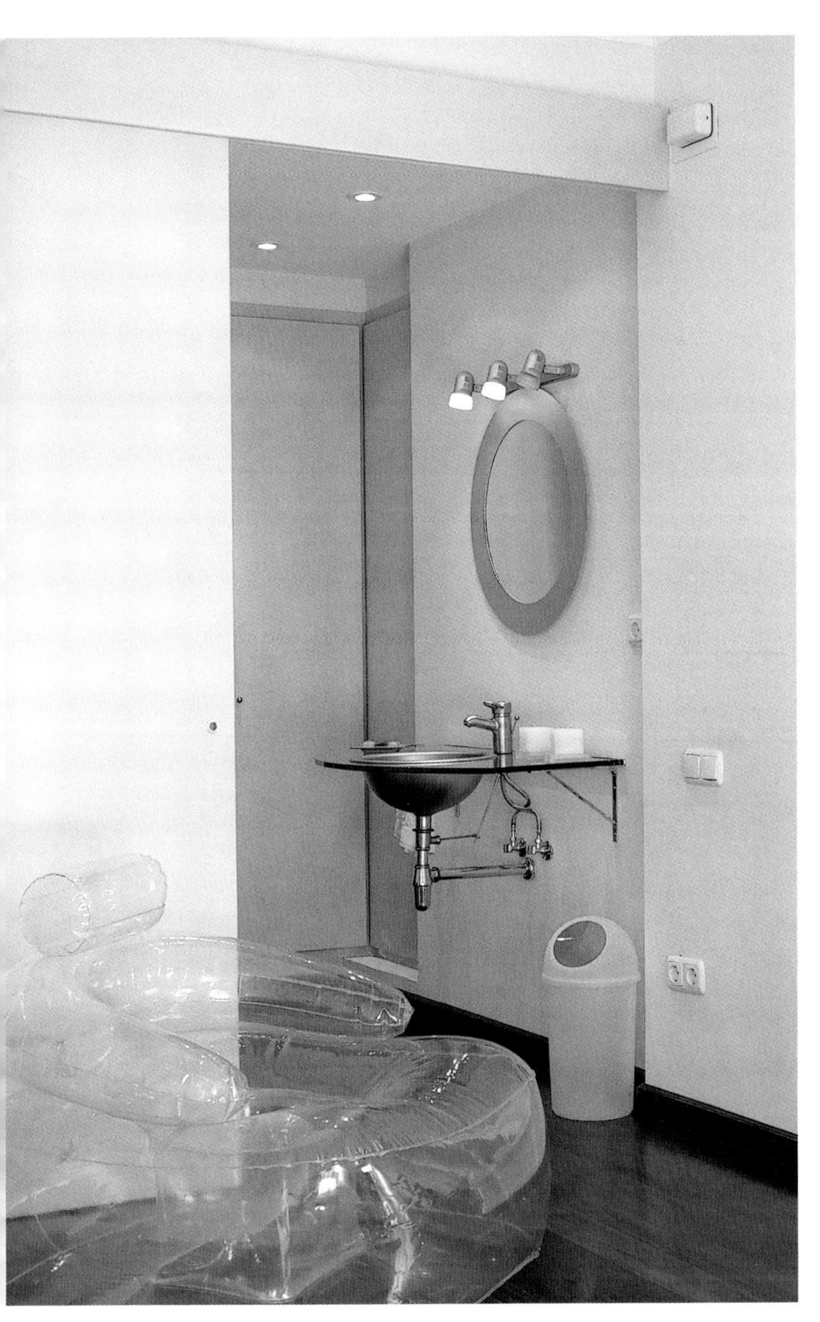

Diese Inneneinrichtung basiert auf der Kernidee, einen gemeinsamen Bereich zum Kochen, Essen und Entspannen zu kreieren. Zugleich sollten die eingesetzten Materialien die Integration der grünen Umgebung unterstützen. Eingang und Flur münden in den großen Wohnbereich, der zur Terrasse führt. Der Flur führt zudem ins Schlafzimmer, Arbeitszimmer und Bad.

The main idea for this interior design was to make one area for cooking, eating and relaxing. Materials which allowed integration of the different areas were used to do this. The living area is a continuation of the entrance and the corridor, and has been joined to the terrace. The corridor which goes to the entrance gives access to a bedroom, a study and the bathroom.

BAYSWATER APARTMENT

Andy MacDonald/Mac Interactive

Sydney, Australia

L'idée de départ de la décoration était de réunir en un seul lieu les fonctions de cuisine, salle à manger et séjour. Les matériaux employés à cette fin devaient donc permettre cette unité. La salle de séjour est le prolongement de l'entrée et du couloir, et rejoint la terrasse. Un couloir mène à l'entrée et à une chambre, au studio et à la salle de bain.

Het uitgangspunt van dit project was om keuken, eetkamer en woonkamer in één ruimte onder te brengen. Daarvoor werden materialen gebruikt die een samenvoeging van deze functies toestonden. De woonkamer is een verlenging van de entree en de gang, en gaat over in het terras. Een kleine gang leidt naar de ingang en komt uit op een slaapkamer, een studeerkamer en een badkamer.

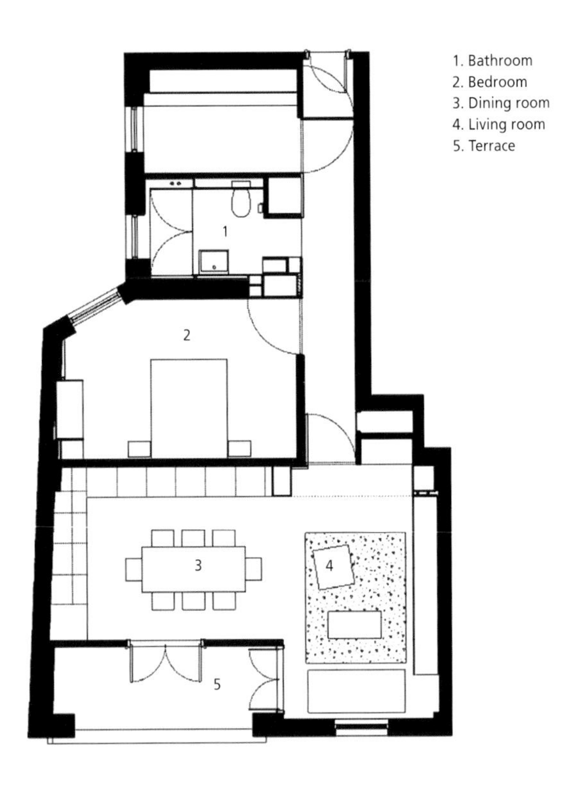

Floor plan

Große Fenster im Wohnzimmer geben den Blick auf die Terrasse frei.

Large windows integrate the terrace with the living room.

De grandes baies vitrées réunissent terrasse et salle de séjour.

Door de grote ramen maakt het terras deel uit van de woonkamer.

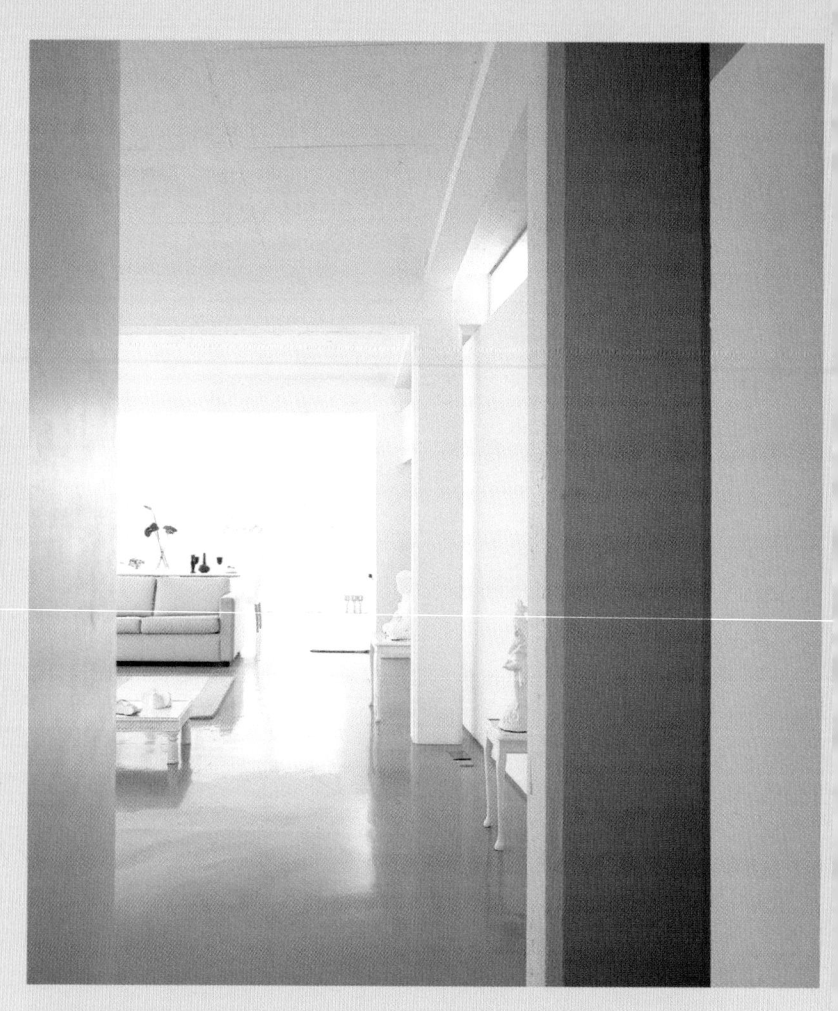

Dieses Loft ist Teil eines Industriebaus aus den 1930ern. Ziel waren der Einbau neuer Fenster und eine neue Aufteilung bei minimaler Intervention. Das renovierte Loft verfügt über Schlafzimmer, Bad, Küche, Wohn- und Arbeitsbereich. Die Wände liegen zwischen Säulen und Trägern. Schlafzimmer und Bad sind funktionell gestaltet; die Küche geht nahtlos in den Wohn-/Essbereich über.

This loft is part of an industrial building from 1930. The objective of the design was minimum intervention, but construction of new windows and divisions. The new flat has a bedroom, living room, kitchen, dining room, bathroom and study. The walls are placed between columns and beams. The bedroom and the bathroom are functional, and the kitchen opens next to the living room.

TO LIVE IN WHITE

AEM

London, United Kingdom

Loft situé dans un bâtiment industriel de 1930. Le projet s'est centré sur une intervention minimale en créant de nouvelles fenêtres et cloisons. Le nouvel appartement comprend : chambre, salon, cuisine, salle à manger, salle de bain et bureau. Les murs sont placés entre colonnes et poutres. La chambre et la salle de bain sont fonctionnelles, et la cuisine s'ouvre à côté du séjour.

Deze loft bevindt zich in een industrieel gebouw uit 1930. De bedoeling was om met een minimale ingreep nieuwe ramen en nieuwe indelingen te creëren. De nieuwe verdieping bestaat uit een slaapkamer, woonkamer, keuken, eetkamer, badkamer en studeerruimte. De wanden zijn tussen zuilen en balken geplaatst. Slaapkamer en badkamer zijn functioneel en er is een open keuken.

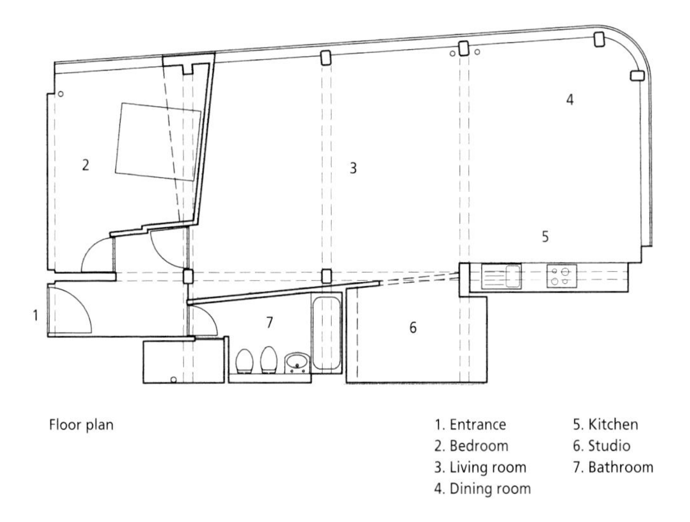

Floor plan

1. Entrance
2. Bedroom
3. Living room
4. Dining room
5. Kitchen
6. Studio
7. Bathroom

Die alten Bilder stammen von einem Londoner Straßenmarkt. Die Tapete am Eingang ist von chinesischen Motiven inspiriert.

The old pictures are of a street market in London. The painted paper in the entrance was inspired by China.

Les tableaux anciens sont d'un marché aux puces de Londres. Le papier peint de l'entrée est d'inspiration chinoise.

De oude lijsten komen van een Londense vlooienmarkt. Het behang bij de ingang is op de Chinese cultuur geïnspireerd.

DIRECTORY

pg 12 **José Luis Maroto**
© Ángel Baltanás

pg 18 **Brace Design**
Level 3, 101 Sussex Street, Sydney NSW 2000, Australia
+61 02 92 90 29 78
www.bracedesign.com.au
© Sharrin Rees

pg 28 **Procter-Rihl**
63, Cross Street, London N1 2BB, United Kingdom
+44 207 704 60 03
www.procter-rihl.com
© Helene Binet

pg 36 **Inés Rodríguez, Raúl Campderrich/Air Projects**
Pau Claris, 179, 3° 1ª, 08037 Barcelona, Spain
+34 93 272 24 27
www.air-projects.com
© Jordi Miralles

pg 44 **Marisa García and Alex Baeza**
© José Luis Hausmann

pg 52 **Estudio Pilar Líbano**
Rambla de Catalunya, 103, Principal B,
08008 Barcelona, Spain
+34 93 215 98 41
www.plibano.com
© Gogortza & Llorella

pg 62 **Rafael Berkowitz**
445 West 19 Street 6th floor, New York, NY 10011, USA
+1 212 691 59 22
www.rbarchitect.com
© James Wilkins

pg 70 **Estudio Farini-Bresnick Arquitectos**
Calle San Gregorio, 9, 28004 Madrid, Spain
+34 91 319 19 32
farinibresnick.com
© Luigi Filetici

pg 78 **Philip Mathiesen**
© Sharrin Rees

pg 86 **Miguel Bornstein**
Arroyo 850, Buenos Aires, Argentina
+54 11 43 28 14 30
© Virginia del Guidice

pg 94 **Filippo Bombace**
1 Via Monte Tomatico, 00141 Rome, Italy
Tel.: +39 06 86 89 82 66
www.filippobombace.com
© Luigi Filetici

pg 102 **Smart Design Architecture Pllc**
56 Harvester Avenue, Batavia, NY 14020, USA
+1 585 345 40 67
smartdesignarchitecture.com
© Jordi Miralles

pg 108 **Javier Hernández Mingo**
© Luis Hevia

pg 118 **Philippe Harden**
+33 6 63 19 38 17
Atelier 9 Portes
36 Boulevard de la Bastille, 75012 Paris, France
www.atelier9portes.com
© Philippe Harden

pg 126 **Randy Brown Architects**
1925 Nort, 120th Street, Omaha, NE 68154, USA
+1 402 551 70 97
www.randybrownarchitects.com
© Farshid Assassi

pg 134 **Maximiá Torruella**
© José Luis Hausmann

pg 142 **Rocío Fueyo Casado**
+34 616 28 48 28
© Jordi Miralles

pg 152 **Fernandes & Capanema**
SCLN 111 Bloco D, Sala 108, Brasilia-DF 70754-540, Brazil
+55 61 39 63 22 22
www.fernandescapanema.com.br
© Fernandes & Capanema

pg 162 **Minim**
Avenida Diagonal, 369 Bajos, Barcelona 08037, Spain
+34 93 272 24 25
www.minim.es
© Gogortza & Llorella

pg 168 **Filippo Bombace**
1 Via Monte Tomatico, 00141 Rome, Italy
+39 06 86 89 82 66
www.filippobombace.com
© Luigi Filetici

pg 174 **Fernando Canguçu**
© Carlos Emilio, Jorge Rangel (stylist)

pg 184 **Grup Cru**
+34 93 673 16 86
www.cru2001.com
© Gogortza & Llorella

pg 192 **CGR Arquitectos**
Manuel Tovar, 25, 4ª Planta, 28034 Madrid, Spain
+34 91 729 47 96
www.cgrarquitectos.com
© Ángel Baltanás, Carmen Baudín (stylist)

pg 200 **I 29 Office for Design**
© I 29 Office for Design

pg 208 **Beriot Bernardini**
Maestro Alonso, 22, Local 6, 28028 Madrid, Spain
+34 91 356 33 54
www.beriotbernardini.com
© Ángel Baltanás

pg 216 **Thomas de Cruz Architects / Designers**
80/82 Chiswick High Road, London W4 1 SY, United Kingdom
+44 20 89 95 81 00
www.thomasdecruz.com
© Nick Philbedge

pg 222 **Gary Chang/EDGE (HK) Ltd.**
Suite 1604, Eastern Harbour Centre, Hoi Chak Street, Quarry Bay, Hong Kong, China
+852 28 02 62 12
www.edge.hk.com
© Almond Chu

pg 230 **Nacho Marta**
© José Luis Hausmann, Jorge Rangel (Stylist)

pg 238 **Andy MacDonald/Mac Interactive**
94 Cooper Street, Surry Hills, Sydney NSW 2010, Australia
+61 2 92 12 38 00
www.mac-interactive.com
© Tom Ferguson Architecture & Design

pg 248 **AEM Architects Inc.**
3700 Perkiomen Avenue, Reading, PA 19606, USA
+1 610 779 32 20
aem-arch.com
© Alan Williams